だれにでもわかる文法と発音の基本ルール

新ゼロからスタート韓国語
文法編

CD付
＋音声DL

鶴見　ユミ
Tsurumi Yumi

Ｊリサーチ出版

読者へのメッセージ

　K-POP、韓国ドラマ、韓国旅行など、韓国を知りたい、できることなら韓国語を話してみたい入門者と、学習を始めたけれど勉強の仕方がわからない初級学習者が効率良く学習できる本として愛されてきました本書が、より分かりやすく独学がしやすいように詳細な解説を加え、改訂版となって生まれ変わりました。語学の習得には何よりも基礎が重要です。基礎があいまいなまま中級に進んでしまった学習者にとっても文法を体系的に学べる本書が役立つことでしょう。

発音を覚えるには

　韓国語を覚えるときに最初に覚えなくてはならないのが、文字です（韓国語で文字のことをハングルといいます）。

　ローマ字のしくみを思い出してみましょう。「ka」と書くときは、子音の「k」と母音の「a」を組み合わせます。ハングルでも、子音の「k」にあたる「ㄱ」と、母音の「a」にあたる「ㅏ」を組み合わせれば「가」[ka]という文字ができます。「ㄱ」[k]と母音の「ㅗ」[o]を組み合わせると「고」[ko]という文字ができます。漢字表記もありませんから、ローマ字のように子音と母音を覚えさえすればすぐに読めます。

　文字入力も難しくありませんので、インターネットやスマートフォンなどを使ってすぐに意味を調べることもできます。

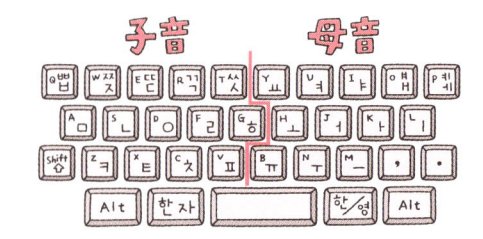

＊韓国のキーボード配列。
　左右で子音と母音が分かれています。

42の公式で基礎文法をマスターしましょう

　本書では、42の文法公式を学びます。これらを覚えればどれくらいの文法をマスターできるのでしょうか。TOPIK（韓国語能力試験）にあてはめれば初級（Ⅰ～Ⅱ）に出題される基礎文法を、韓国旅行会話や日常会話では間違いのない綺麗な言葉を話すために必要な基礎文法を身につけられます。

　丸暗記の旅行会話から脱却するためには、基礎文法を習得して文章を組み立てる力だけではなく、語彙を増やすことも大切です。UNITごとの10分エクササイズでは、語彙を増やせるよう本文掲載以外の新単語を使って作文練習ができるようにしました。

　また、聞き取る力をつけるためには、短いフレーズを繰り返し聞いて発音を真似することが効果的です。本書付属のCDとダウンロード音声を繰り返し聞いて声にだすことをお勧めします。

　本書を活用して、韓国語の基礎を身につけることで、韓国がより身近に感じられるだけではなく、みなさんの「韓国語を話せるようになりたい」という夢を叶えるお手伝いができれば幸いです。

著者

CONTENTS

読者へのメッセージ……………………………………………………… 2
この本の使い方…………………………………………………………… 6
反切表……………………………………………………………………… 12

発音編

文字と発音を覚えよう

UNIT 1	文字のしくみと書き方………………………………………… 14
UNIT 2	母音①［基本母音の成り立ちと発音］………………………… 18
UNIT 3	母音②［合成母音の発音］……………………………………… 22
UNIT 4	子音①［子音の成り立ちと種類］……………………………… 24
UNIT 5	子音②［鼻音と流音の発音］…………………………………… 26
UNIT 6	子音③［平音の発音］…………………………………………… 27
UNIT 7	子音④［激音の発音］…………………………………………… 28
UNIT 8	子音⑤［濃音の発音］…………………………………………… 29
UNIT 9	パッチムの種類と発音………………………………………… 30
UNIT 10	文字通りに発音しない組み合わせ…………………………… 34

文法編

SECTION 1　韓国語の基本とよく使う表現をおさえよう

UNIT 1	韓国語文法の基礎の基礎 ──4大用言と「です／ます調」①ハムニダ体 … 40
UNIT 2	人の呼び方を覚えよう ──人称代名詞と呼称…………………… 48
UNIT 3	ハングルの「てにをは」を覚えよう ──助詞………………… 54
UNIT 4	数と数え方（「個」など）を覚えよう ──2種類の数詞と助数詞 …… 60
UNIT 5	時の表し方を覚えよう ──月日・曜日・時間………………… 66
UNIT 6	場所や空間、方角の表し方を覚えよう ──ここ／どこ／そこや前後左右 72
UNIT 7	ものごとを指す代名詞と疑問詞を覚えよう──これ／それ／どの？／何？ 78
SECTION 1	チェック問題…………………………………………………… 84

SECTION 2　3つの活用パターンで日常会話ができるようになる

UNIT 8	活用形って何？──活用形の種類としくみ　…………………………90
UNIT 9	「～したい」「～するつもり」の表し方を覚えよう……………94
	──「希望」・「意志・推量表現」（未来形）
UNIT 10	「～で（して）…」「～しない」の表し方を覚えよう ……… 100
	──「並列」の連結語尾と「否定形」

UNIT 11	「～ならば…」「～だけど…」の表し方を覚えよう	106
	──「仮定形」と「逆接」	
UNIT 12	「～できる」「～できない」の表し方を覚えよう	112
	──「可能」と「不可能」	
UNIT 13	韓国語で避けてとおれない「尊敬表現」を覚えよう	118
	──まずはハムニダ体で尊敬表現をレッスン	
UNIT 14	普段使いの親しみある「～です／～ます」を覚えよう	124
	──「です／ます」調②ヘヨ体［第Ⅲ活用の文型］	
UNIT 15	過去形「～しました」の表し方を覚えよう	130
	──ハムニダ体・ヘヨ体の過去形・尊敬表現の過去形と過去完了・大過去	
UNIT 16	「～なので…」「～してください」の表し方を覚えよう	136
	──理由・原因・結果や先行動作の表現と丁寧な命令形	
SECTION 2	チェック問題	142

SECTION 3　不規則な活用形をマスターしよう

UNIT 17	不規則な活用形とは？ ──特殊語幹用言と変格活用用言	148
UNIT 18	特殊語幹①ㄹ語幹を覚えよう ──第Ⅱ活用で特殊な変化	150
UNIT 19	特殊語幹②ー語幹を覚えよう ──第Ⅲ活用で特殊な変化	154
UNIT 20	変格用言①ㄷ変格用言の活用を覚えよう	158
UNIT 21	変格用言②ㅅ変格用言の活用を覚えよう	162
UNIT 22	変格用言③ㅂ変格用言の活用を覚えよう	166
UNIT 23	変格用言④르変格用言と러変格用言の活用を覚えよう	170
UNIT 24	変格用言⑤ㅎ変格用言の活用を覚えよう	174
SECTION 3	チェック問題	178

SECTION 4　動詞・形容詞などで名詞を修飾できるようになる

UNIT 25	名詞の修飾で表現の幅を広げよう──連体形とその種類	182
UNIT 26	現在連体形①「～している〈名詞〉」──動詞と存在詞	184
UNIT 27	現在連体形②「～な〈名詞〉」──形容詞と指定詞	190
UNIT 28	過去連体形①「～していた〈名詞〉」──動詞	196
UNIT 29	過去連体形②「～だった〈名詞〉」──存在詞／形容詞と指定詞	202
UNIT 30	未来連体形と推量「～するでしょう」の表し方	208
SECTION 4	チェック問題	214

単語索引	217
文法公式のまとめ	222

この本の使い方

この本は、韓国語の基礎をゼロから身につけるための1冊です。
「発音編」で文字（ハングル）のしくみや書き方から始めて、発音を学び、「文法編」へ進むという流れになっています。文法編は30のUNITで構成され、初級レベルの文法項目がマスターできるようになっています。

発音編　文字と、発音の基本を身につけましょう

韓国語は、文字（ハングル）を覚えることから学習がスタートします。発音と文字をセットで覚えていくのが効率的です。CDを聞き、自分でも実際に声に出して発音してみましょう。

文法編　活用3パターンと42の公式で簡単に覚えられます

例文　CDを聞き、自分でも発音しましょう。補助にカタカナをふってあります。

単語帳／補助単語／補助文型
単語帳には、例文内の重要単語をリストにしています。補助単語／文型では、関連単語／文型を紹介しています。ともに、CDに音声が収録されています。

＜本書内の記号＞
漢＝漢字語であることを示しています。
㋺＝解説内などの韓国語は補助のカタカナ読みを「㋺カタカナ」でつけています。

CD・無料ダウンロード音声を聞いて真似しましょう

CDには「例文」「単語帳」「公式」「チェック問題の正解文」、ダウンロード音声には「エクササイズの正解文」を収録しています。音声を聞いて、真似して発音することが上達のコツです。

●文法公式

文法のポイントを例文やフレーズを使って、具体的にわかりやすく紹介します。

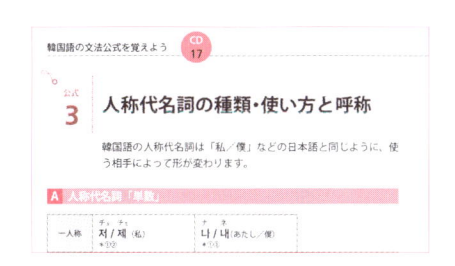

●かんたん10分エクササイズとチェック問題

文法編各UNITと各SECTIONの最後に復習の練習問題を用意しています。書き込みながら理解度をチェックしましょう。

●文法公式のまとめと単語索引

巻末には、42の文法公式の一覧と単語索引があります。公式一覧は復習や確認に、単語索引は例文を読むときや問題を解くときにご活用ください。辞書がなくても、この1冊で学習を進められます。

音声ダウンロードのしかた

① パソコンや携帯端末からインターネットで専用サイトにアクセス
　※Jリサーチ出版のホームページから「音声ダウンロード FeBe」のバナーをクリックしていただくか、下記のURLを入力してください。
　http://febe.jp/jresearch
② 表示されたページから、FeBeへの登録ページに進みます。
　※音声のダウンロードには、オーディオブック配信サービスFeBeへの会員登録（無料）が必要です。
③ 登録後、シリアルコードの入力欄に「**23454**」を入力して「送信」をクリックします。
④ 「音声を本棚に追加する」のボタンをクリックします。
⑤ PCの場合は「本棚」から音声ファイルをダウンロードして、スマートフォンの場合はアプリ「FeBe」の案内がでますのでアプリからご利用ください。

〈ご注意〉
・ダウンロードには、オーディオブック配信サービスFeBeへの会員登録（無料）が必要です。
・PCからでも、iPhoneやAndroidのスマートフォンやタブレットからでも音声を再生いただけます。
・音声は何度でもダウンロード・再生していただくことができます。
・ダウンロードについてのお問い合わせ先：info@febe.jp（受付時間：平日の10～20時）

韓国語は日本人にとって学びやすい言葉って本当？

CD 2

勉強を始める前に、韓国語の特徴や日本語との共通点などを知ることによって、学習のコツが見えてきます。
まずは、韓国語と日本語の比較をしてみましょう。

1 韓国語原文を見てみましょう

한국의 대학교 도서관은 보통 오전 6시부터 오후 11시까지 이용할 수 있습니다.

当然ですが、見てもさっぱり意味が分かりません。

2 漢字語の部分だけを漢字に直した文を見てみましょう

韓国의 大学校 図書館은 普通 午前 6時부터 午後 11時까지 利用할 수 있습니다.

漢字語の部分だけを漢字表記にするとだいたいの意味は分かります。

3 日本語訳文を見てみましょう

韓国の大学の図書館は、普通午前6時から午後11時まで利用することができます。

1～3を比べてみると、日本語にとても似ていることが分かります。

漢字語と固有語

「漢字語」とは、もとは漢字で表記していたけれど漢字表記せずハングル表記している言葉です。「漢字語」に対し、もとから漢字を使わない言葉があります。上記の文では、漢字を使わない言葉は、의(の)や은(は)などの助詞と、할 수 있습니다.(することができます。)という語尾の部分です。これら、**もとから漢字を使わない言葉を「固有語」**といいます。

こんなにある！　日本語との共通点

次に、日本語との共通点を見てみましょう。

共通点1　漢字語の発音が日本語にとても似ている

日本語	韓国語	発音
図書館	도서관	トソグヮン
準備	준비	チュンビ

共通点2　語順がほとんど同じ

日本語と韓国語は主語から始まり述語で終わります。

私　　は　　日本人　　です。
저　　는　　일본사람　　입니다.

子供　は　　小さい　です。
아이　는　　작　　습니다.

＊わざと単語単位で分けて記しました。

共通点3　語順がほとんど同じ

「する」にあたる「하다 ハダ」動詞は、漢字語の2字熟語について使える便利な言葉です。

準備**する**　　→　　準備**します**。
チュンビハダ　　　　チュンビハムニダ
준비하다　　→　　**준비합니다.**

共通点4　「て、に、を、は」にあたる助詞がある

日本語と同じように「(どこどこ)に」「(なになに)を」など名詞につく助詞があります。また、日本語同様「私、明日からソウルに行きます」などのように、会話では助詞がはぶかれることもあります。

共通点5　主語がなくても会話が成立する

会話では「明日、行きます」のように、主語や目的語を省いても相手に通じます。

共通点6　「です・ます」にあたる話し言葉がある

アナウンサーがニュースを読み上げるときや公式な席では、**かしこまった語尾の格式体「합니다**ハムニダ**体」**である「ㅂ니다ョハムニダ．／ㅂ니까ョハムニッカ？」が多く用いられ、一般的な会話では**親しみのある語尾の非格式体「해요**ヘヨ**体」**である「요ョ．」が多く用いられます。

共通点7　尊敬表現がある

日本語と同じで、尊敬語も謙譲語もあります。目上の人を敬う文化がありますので、尊敬語は必ずマスターしなければなりませんが、日本語のように単語そのものが変わるものは少なく、ほとんどは規則的な活用で尊敬語を作ることができます。

オダ		オシダ		チプ		テク
오다	→	**오시다**		**집**	→	**댁**
来る		いらっしゃる		家		お宅

だから、簡単！　韓国語の特徴

特徴1　日本語と同じ漢字が6割以上ある

韓国語では日本語のように漢字表記はしませんが、共通する漢字語が熟語全体の6割ほどありますので、日本語の漢字の音読みと韓国語の漢字語の発音がとても似ています。日本語の漢字には音読みと訓読みがありますが、韓国語で使う漢字語には音読みだけしかありません。

例：「図」は日本語では「ず」「と」「はか(る)」と3つの読み方をしますが、韓国語では「도ヨト」の1つの読み方しかありません。

特徴2　男言葉、女言葉がない

日本語では「〜だぜ」「〜ね」といった男言葉、女言葉がありますが、韓国語では共通点6の格式体・非格式体の語尾やほかのすべての語尾は男女の区別なく用いられています。
また、日本語のように「僕」「俺」「私」「あたし」など人称代名詞にも男女の区別がありませんので、男性も女性も同じ「저［ヨチョ］」「나［ヨナ］（相手が同等または目下の場合）」を使います。

特徴3　くだけた言葉遣いの、ため口がある

親しい人同士、同い年の人同士、目下の人に対して使うため口（韓国語では반말［ヨハンマル］）という言葉遣いがあります。目上の人には絶対に使ってはいけません。

特徴4　韓国語の活用形はシンプル

日本語では「歩く」という動詞の語尾である「く」が、歩かない（未然）・歩きます（連用）・歩く（終止）・歩くとき（連体）・歩けば（仮定）・歩け（命令）のように、変化することを五段活用だと習いました。その他にも五段活用できない用言（動詞や形容詞）は、上一段活用・下一段活用・カ行変格活用・サ行変格活用を使って変化させます。
韓国語の場合は全ての用言をⅠ・Ⅱ・Ⅲの3パターンで変化させることができますし、それらに当てはまらない特殊語幹用言が2種類と、変格活用用言が6種類ありますが、これらもⅠ・Ⅱ・Ⅲの3パターンを応用して規則的に変化させることができますので、活用がとても分かりやすいのが特徴です。

日本語との共通点や特徴を知れば知るほど、日本語ネーティブだからこそ、学びやすい外国語であることがよくお分かりいただけたと思います。
楽しみながら韓国語をマスターしていってください。

反切表

辞書の配列は、子音は上から順に、母音は左から順にこの表のとおりで、辞書を引くときは子音を先に探してから、次に続く母音を探します。

子音＼母音	ㅏ [a]	ㅑ [ja]	ㅓ [ɔ]	ㅕ [jɔ]	ㅗ [o]	ㅛ [jo]	ㅜ [u]	ㅠ [ju]	ㅡ [ɯ]	ㅣ [i]
ㄱ [k/g]	가	갸	거	겨	고	교	구	규	그	기
ㄴ [n]	나	냐	너	녀	노	뇨	누	뉴	느	니
ㄷ [t/d]	다	댜	더	뎌	도	됴	두	듀	드	디
ㄹ [r/l]	라	랴	러	려	로	료	루	류	르	리
ㅁ [m]	마	먀	머	며	모	묘	무	뮤	므	미
ㅂ [p/b]	바	뱌	버	벼	보	뵤	부	뷰	브	비
ㅅ [s/ʃ]	사	샤	서	셔	소	쇼	수	슈	스	시
ㅇ [ɸ/ŋ]	아	야	어	여	오	요	우	유	으	이
ㅈ [tʃ/dz]	자	쟈	저	져	조	죠	주	쥬	즈	지
ㅊ [tʃh]	차	챠	처	쳐	초	쵸	추	츄	츠	치
ㅋ [kh]	카	캬	커	켜	코	쿄	쿠	큐	크	키
ㅌ [th]	타	탸	터	텨	토	툐	투	튜	트	티
ㅍ [ph]	파	퍄	퍼	펴	포	표	푸	퓨	프	피
ㅎ [h]	하	햐	허	혀	호	효	후	휴	흐	히
ㄲ [ʔk]	까	꺄	꺼	껴	꼬	꾜	꾸	뀨	끄	끼
ㄸ [ʔt]	따	땨	떠	뗘	또	뚀	뚜	뜌	뜨	띠
ㅃ [ʔp]	빠	뺘	뻐	뼈	뽀	뾰	뿌	쀼	쁘	삐
ㅆ [ʔs]	싸	쌰	써	쎠	쏘	쑈	쑤	쓔	쓰	씨
ㅉ [ʔtʃ]	짜	쨔	쩌	쪄	쪼	쬬	쭈	쮸	쯔	찌

合成母音	ㅐ	ㅒ	ㅔ	ㅖ	ㅘ	ㅙ	ㅚ	ㅝ	ㅞ	ㅟ	ㅢ
子音ㅇ [ɸ]	애	얘	에	예	와	왜	외	워	웨	위	의

発音編

文字と発音を覚えよう

UNIT 1 　文字のしくみと書き方
UNIT 2 　母音①［基本母音の成り立ちと発音］
UNIT 3 　母音②［合成母音の発音］
UNIT 4 　子音①［子音の成り立ちと種類］
UNIT 5 　子音②［鼻音と流音の発音］
UNIT 6 　子音③［平音の発音］
UNIT 7 　子音④［激音の発音］
UNIT 8 　子音⑤［濃音の発音］
UNIT 9 　パッチムの種類と発音
UNIT 10 　文字通りに発音しない組み合わせ

UNIT 1 文字のしくみと書き方

まず、韓国語の文字のしくみを理解しておきましょう。
初めて見る文字に最初は戸惑いますが、ハングルはローマ字のように子音と母音の組み合わせでできた表音文字（書いたとおりに発音できる文字）ですし、日本語のように漢字表記をしないので、一度覚えればどんな文字でも読むことができます。

A ローマ字と似ている？

韓国語は、基本的にハングル（韓国語で「文字」という意味）で表記します。ハングルはローマ字のような母音と子音の組み合わせでできています。まずは下のローマ字のしくみを見てみましょう。

ka（子音k＋母音a）　＝読み方　カ

次にハングルを見てみましょう。
ハングルには、母音と子音を左右に組み合わせるパターンと、上下に組み合わせるパターンがあります。

1 左右表示の文字

가（ㄱ子音k＋ㅏ母音a）＝読み方　カ［ka］

2 上下表示の文字

고（ㄱ子音k＋ㅗ母音o）＝読み方　コ［ko］

韓国語では**最初にくる子音のことを「初声」**といい、**次にくる母音のことを「中声」**といいます。

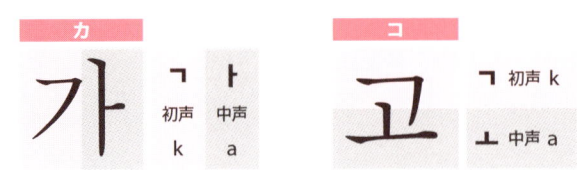

カ		コ	
가	ㄱ 初声 k	고	ㄱ 初声 k
	ㅏ 中声 a		ㅗ 中声 a

B パッチム（받침）

ハングルでは、先に見た形の下に、もう1つ子音をつけることができます。その子音のことを「終声」（韓国語では받침ョパッチム）といいます。

1 左右表示のパターン＋パッチム

김（ㄱ子音k＋ㅣ母音i＋ㅁ子音m）＝読み方　キム [kim]
＊김は「海苔」「金（韓国の代表的な姓）」の意味です

2 上下表示のパターン＋パッチム

곰（ㄱ子音k＋ㅗ母音o＋ㅁ子音m）＝読み方　コム [kom]
＊곰は「熊」です

「김ョキム」も「곰ョコム」も1文字です。これら、発音する時にキ・ム [ki mu]、コ・ム [ko mu]と分けて発音してしまうと、韓国の人には기무 [ki mu]、고무 [ko mu]という2文字の別の音に聞こえてしまいます。

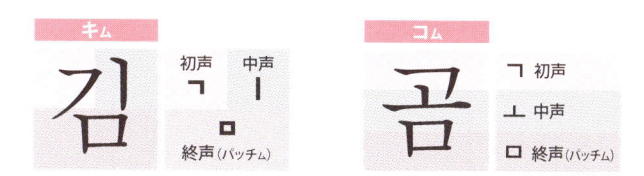

キム		コム	
김	初声 ㄱ 中声 ㅣ 終声（パッチム）ㅁ	곰	ㄱ 初声 ㅗ 中声 ㅁ 終声（パッチム）

この他に、パッチムが2個つく2重（2文字）パッチムもあります（UNIT 9を参照）。1文字は最大4つのパーツで構成されます。

例：닭 [tak]（鶏）
　　몫 [mok]（分け前）

C 文字の種類と書き順

韓国語の文字には、10個の基本母音と、基本母音をもとにできた11個の合成母音があります。子音には3個の鼻音と1個の流音のほかに、平音と激音と濃音がそれぞれ5種類あり、激音と濃音は平音をもとにできた文字なので形も発音もよく似ています。書き順は全て左上から右下に向かいます。

1 母音

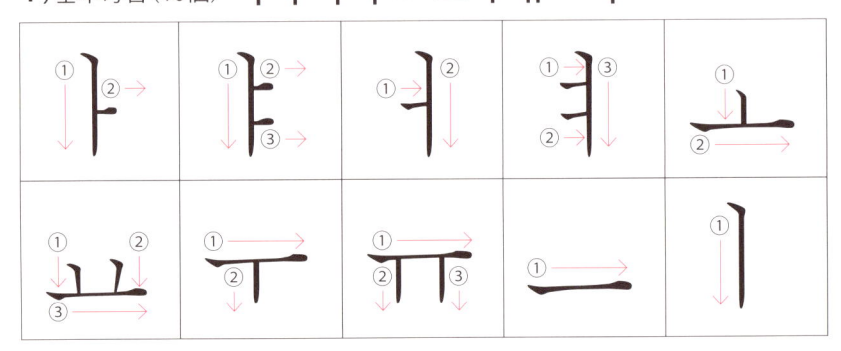

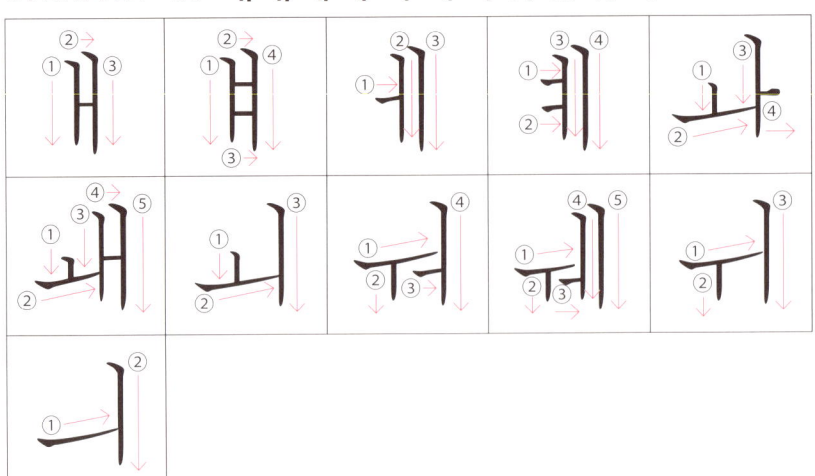

i）基本母音（10個）　ㅏ ㅑ ㅓ ㅕ ㅗ ㅛ ㅜ ㅠ ㅡ ㅣ

ii）合成母音（11個）　ㅐ ㅒ ㅔ ㅖ ㅘ ㅙ ㅚ ㅝ ㅞ ㅟ ㅢ

2 子音

i) 鼻音（3個） ㄴ ㅁ ㅇ

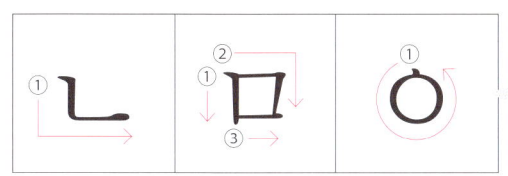

上から左回りで円を書きます。
頭の点は、筆の入り位置を示しており、実際は書きません。

ii) 流音（1個） ㄹ

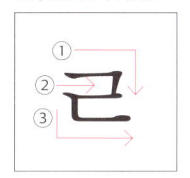

iii) 平音（5個） ㄱ ㄷ ㅂ ㅈ ㅅ

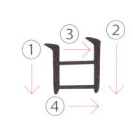

iv) 激音（5個） ㅋ ㅌ ㅍ ㅊ ㅎ

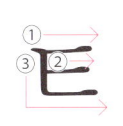

上の短い横線は、斜めに ㅊㅎ と書いてもかまいません。

v) 濃音（5個） ㄲ ㄸ ㅃ ㅆ ㅉ

17

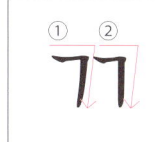

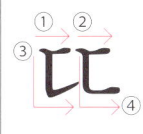

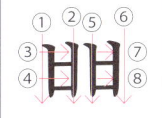

UNIT 2 母音① [基本母音の成り立ちと発音]

CD 3

基本母音は全部で10個です。
ㅏ ㅑ ㅓ ㅕ ㅗ ㅛ ㅜ ㅠ ㅡ ㅣ

A 基本母音の成り立ち

マイナス（ー）の音・陰母音		プラス（＋）の音・陽母音	
＋y			＋y
	左	右	
ㅕ	ㅓ	ㅏ	ㅑ
ヨ［jɔ］	オ［ɔ］	ア［a］	ヤ［ja］
	下	上	
ㅠ	ㅜ	ㅗ	ㅛ
ユ［ju］	ウ［u］	オ［o］	ヨ［jo］
	大地	人	
	ㅡ	ㅣ	
	ウ［ɯ］	イ［i］	

18

左ページの表を見ると、棒の向きがそれぞれ違う方向に向いていて、プラスの音とマイナスの音がそれぞれ反対の形になっています。これは韓国語の母音が陰陽五行をもとにできたためです。
母音は天(太陽)【・】、大地【ー】、人【丨】を意味する象形文字で、太陽は東から登り西に沈むため、次のような意味があります。

丨(人)＋・(天)　＝ ㅏ 人より右側(東)に太陽があると陽母音(＋)になります。

・(天)＋丨(人)　＝ ㅓ 人より左(西)に太陽があると陰母音(－)になります。

・(天)＋ー(大地)　＝ ㅗ 大地より太陽が上にあると、陽母音(＋)になります。

ー(大地)＋・(天)　＝ ㅜ 大地より太陽が下にあると、陰母音(－)になります。

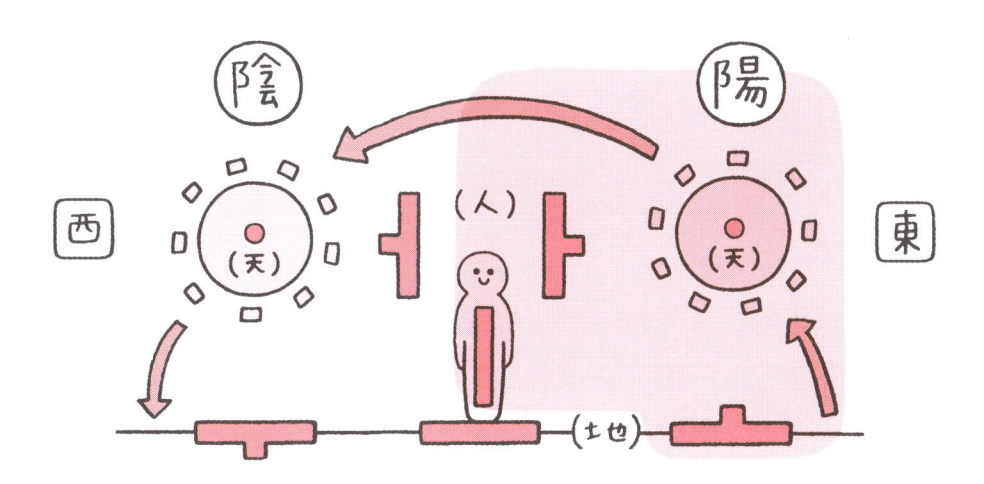

B　発音のしかた

発音するときは相反する（18ページの表では左右の）プラス・マイナス音を同じ口の形で発音します。

ただし、韓国語の文字はローマ字と同じで子音と母音が組み合わさって初めて文字が成立しますので、18ページの表に書かれている母音だけでは文字になりません。そのため、何も発音しない「ㅇ ㉠ イウン」[ɸ]という子音の文字を最初に持ってきます。

1　アを発音するときの口の形で発音するもの

아 (ㅇ+ㅏ)	ア [a]	アとほぼ同じです
어 (ㅇ+ㅓ)	オ [ɔ]	アの口でオを発音しますので顎がぐっと下がります

2　オを発音するときの口の形で発音するもの

오 (ㅇ+ㅗ)	オ [o]	オに近い音です
우 (ㅇ+ㅜ)	ウ [u]	オの口でウを発音し、日本語のウよりも唇を尖らせます

3　イを発音するときの口の形で発音するもの

이 (ㅇ+ㅣ)	イ [i]	イに近い音です
으 (ㅇ+ㅡ)	ウ [ɯ]	イの口でウを発音しますが、우よりも日本語のウに近い音です

日本人には区別しにくいオの2つの音「오／어」と、ウの2つの音「우／으」は口の形に気をつけて音の違いに慣れましょう。

6個の母音を覚えたら、残り4個の母音（ヤ行の音）を学習すれば、基本母音10個は完成です。

4 ヤを発音するときの口の形で発音するもの

야 (ㅇ+ㅑ) ヤ [ja] ヤと同じです

여 (ㅇ+ㅕ) ヨ [jɔ] ヤの口でヨを発音します

5 ヨとユは日本語とほぼ同じです

요 (ㅇ+ㅛ) ヨ [jo] ヨと同じです

유 (ㅇ+ㅠ) ユ [ju] ユと同じです

「오／어」と同様にヨの2つの音「요／여」も、口の形に気をつけて発音し、はっきりと区別ができるようにしましょう。

C 基本母音を使った単語で発音練習

☐ 이 [i] (歯／李／この)　☐ 오이 [oi] (きゅうり)　☐ 아이 [ai] (子供)　☐ 우유 [uju] (牛乳)
☐ 여유 [jɔju] (余裕)　☐ 여우 [jɔu] (女優／きつね)　☐ 이유 [iju] (理由)

UNIT 3 母音② [合成母音の発音]

合成母音は、基本母音をもとに2つの母音が合成されてできた母音で、全部で11個あります。日本語にはない音も多く、発音・聞き取りの際の区別が難しい音です。

A 合成母音の辞書配列

ㅐ ㅒ ㅔ ㅖ ㅘ ㅙ ㅚ ㅝ ㅞ ㅟ ㅢ

B 合成母音の種類と発音のしかた

에・애はネーティブスピーカーにも聞き分けが難しい音で、人の名前や地名など固有名詞で使われる場合は「ㅓ、ㅣのㅔか？」「ㅏ、ㅣのㅐか？」と尋ねるほどです。発音においては区別が失われましたが、綴りではしっかり区別されています。また、왜(倭、矮、歪などを使った一部の漢字語熟語と固有語で全60強の単語しかありません)・외(外を使った多くの漢字語熟語があります)・웨(擬態語や感嘆詞など全17語と外来語にしか使いません)も実際の発音では区別が難しいので単語の綴りをきちんと覚えるようにしましょう。

1 ㅏベースの合成母音

애 (아+이)	エ [ɛ]	日本語の「エ」よりも口を大きめに開けて発音します 発音するときに下の에よりも顎が少し下がります
얘 (야+이)	ィエ [jɛ]	口を大きめに開けて「ィエ」と一気に発音します

2 ㅓベースの合成母音

에 (어+이)	エ [e]	日本語の「エ」と同じです
예 (여+이)	ィエ [je]	「ィエ」と一気に発音します

3 ㅗベースの合成母音

와 (오+아)	ワ [wa]	「ワ」と同じ発音です
왜 (오+애)	ゥエ [wɛ]	口をすぼめた「オ」から一気に「ゥエ」と発音します
외 (오+이)	ゥエ [we]	一気に「ゥエ」と発音します

4 ㅜベースの合成母音

워 (우+어)	ゥオ [wɔ]	口をすぼめた「ウ」から一気に「ゥオ」と発音します
웨 (우+에)	ゥエ [we]	一気に「ゥエ」と発音します
위 (우+이)	ゥイ [ui]	一気に「ゥイ」と発音します

5 ㅡベースの合成母音

의 (으+이)	ゥィ [ɯi]	口を横に広げたまま一気に「ゥィ」と発音します

*의が語中にくる場合と語頭でㅇ以外の子音と共に発音される場合は発音しづらいので[이;i]と発音してもかまいません。
　例：□**주의하다** [주이하다] (注意する)　　□**희다** [히다] (白い)

C 合成母音を使った単語で発音練習

□**얘** [jɛ] (この子)　□**얘기** [jɛgi] (話)　□**예** [je] (例／はい)　□**왜** [wɛ] (なぜ)
□**위** [ui] (上)　□**이외** [iwe] (以外)　□**의사** [ɯisa] (医師)　□**예의** [jeɯi/jei] (礼儀)
□**의의** [ɯiɯi/ɯii] (意義)　□**의외** [ɯiwe] (意外)

*얘기は会話の時だけ使われる이야기の縮約語です。

UNIT 4 子音①
[子音の成り立ちと種類]

CD 5

韓国語の子音は全部で19個です。

ㄱㄴㄷㄹㅁㅂㅅㅇㅈ
ㅊㅋㅌㅍㅎ
ㄲㄸㅃㅉㅆ

A 子音の成り立ち

ハングルの子音は次のように、発音器官（のど・舌・唇など）をかたどって作られました。

口蓋音　ㄱ・ㅋ
日本語のカ行のように舌の根っこのほうで出す音

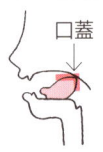

舌音　ㄴ・ㄷ・ㅌ・ㄹ
日本語のタ行・ナ行・ラ行のように舌が上あご前歯の裏について出す音

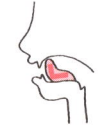

唇音　ㅁ・ㅂ・ㅍ
日本語のマ行・パ行のように一度唇を閉じてから出す音

歯音　ㅅ・ㅈ・ㅊ
日本語のサ行とチャ・チュ・チョのように上下歯の間に舌を挟んで出す音

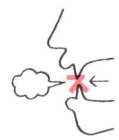

喉音　ㅇ・ㅎ
喉頭の形をしている

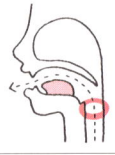

B 子音19個の2つの分類方法

UNIT10で学ぶ発音の変化にて必要となりますので、音の分類の名称を覚えておきましょう。
激音と濃音は平音をもとにできた文字ですので、形も発音もよく似ています。

1 発音のしかたによる分類

鼻音（3個）： ㄴ ㅁ ㅇ
流音（1個）： ㄹ
平音（5個）： ㄱ ㄷ ㅂ ㅈ ㅅ
激音（5個）： ㅋ ㅌ ㅍ ㅊ ㅎ
濃音（5個）： ㄲ ㄸ ㅃ ㅉ ㅆ

2 音別の分類

k音をもとにした文字： ㄱ ㅋ ㄲ
t音をもとにした文字： ㄷ ㅌ ㄸ
p音をもとにした文字： ㅂ ㅍ ㅃ
tʃ音をもとにした文字： ㅈ ㅊ ㅉ
s音をもとにした文字： ㅅ ㅆ
h音をもとにした文字： ㅎ

C 子音を発音してみよう

母音ㅏをつけて発音の練習をしましょう（12ページの「反切表」も活用してください）。

가 나 다 라 마 바 사 아 자
（カ ナ タ ラ マ パ サ ア チャ）

차 카 타 파 하（上の平音より息を強く吐きながら）
（チャ カ タ パ ハ）

까 따 빠 싸 짜（平音より息を出さず高い音で）
（カ タ パ サ チャ）

UNIT 5 子音② [鼻音と流音の発音]

CD 6

このUNITでは、鼻音ㄴ／ㅁ／ㅇと、流音ㄹを勉強します。

A 鼻音と流音の種類と発音のしかた

まずは、母音と組み合わせて鼻音・流音の文字と発音を覚えましょう。

1 鼻音 3 種類

나 ナ [na]　　n 音：日本語のナ行の音です

마 マ [ma]　　m 音：日本語のマ行の音です

아 ア [a]　　ø 音：初声にくる場合は何も発音されません

2 流音 1 種類

라 ラ [ra]　　r 音：日本語のラ行の音です

B 鼻音と流音とは？

赤ちゃんが最初に話す「まんまん」[mamman]などの喃語が鼻音で、息が鼻から抜ける発音のことをいいます。韓国語の「ママ」も엄마[ɔmma]と鼻音で発音します。流音はラ行の音をだすときに上あごの歯の少し後ろに舌先をつけてからはじくように発音します。舌の両側から息が流れ出すために流音または舌側音とも呼ばれます。

C 鼻音と流音を使った単語で発音練習

- 누나 [nuna] (お姉さん)
- 나무 [namu] (木)
- 우유 [uju] (牛乳)
- 우리 [uri] (私たち)
- 나 [na] (わたし／僕／俺)
- 나이 [nai] (年)
- 이마 [ima] (おでこ)
- 어머니 [ɔmɔni] (お母さん)
- 마녀 [manjɔ] (魔女)
- 모어 [moɔ] (母語)
- 나라 [nara] (国)
- 머리 [mɔri] (頭)

＊누나は男性から見た実姉や親しい目上女性の呼称です。

UNIT 6 子音③ [平音の発音]

CD 7

平音ㄱ／ㄷ／ㅂ／ㅈ／ㅅは日本語の「カ行・タ行・パ行・チャ行・サ行」に似た5つの子音です。

A 平音の種類と発音のしかた

まずは、母音と組み合わせて平音の文字の種類を覚えましょう。
日本語よりも若干柔らかく息を吐く感じの音で濁音に近い音ですが、完全に濁っているわけではありません。また、強く息を吐くと激音（UNIT 7参照）に聞こえてしまいますので強く発音しないように注意しなければなりません。

가 カ[ka]　　k音：日本語のカ行より柔らかく息を吐きます

다 タ[ta]　　t音：日本語のタ行より柔らかく息を吐きます

바 パ[pa]　　p音：日本語のパ行より柔らかく息を吐きます

자 チャ[tʃa]　　tʃ音：初日本語のチャ行より柔らかく息を吐きます

사 サ[sa]　　s音：日本語のサ行より柔らかく息を吐きます

B 平音を使った単語で発音練習

- □ **거미**[kɔmi]（蜘蛛）　□ **다리**[tari]（足／橋）　□ **비누**[pinu]（石鹸）
- □ **자유**[tʃaju]（自由）　□ **소**[so]（牛）　□ **가수**[kasu]（歌手）
- □ **가로수**[karosu]（街路樹）　□ **비**[pi]（雨）　□ **부모**[pumo]（父母）
- □ **보리**[pori]（麦）　□ **자리**[tʃari]（席）　□ **소리**[sori]（音）　□ **다시**[tasi]（再び）
- □ **서로**[sɔro]（お互い）　□ **소나무**[sonamu]（松）

UNIT 7　子音④ [激音の発音]

CD 8

激音ㅋ／ㅌ／ㅍ／ㅊ／ㅎは平音をもとにしてできた5つの文字です。もとになった平音に形も音もよく似ていますが「カ行・タ行・パ行・チャ行」よりもはるかに息が強くでる音です。また、ㅎの音「ハ行」も激音に分類されます。

A 激音の種類と発音のしかた

카　カ[kʰa]　　kʰ音　：日本語のカ行よりも息を強く出しながら発音します

타　タ[tʰa]　　tʰ音　：日本語のタ行よりも息を強く出しながら発音します

파　パ[pʰa]　　pʰ音　：日本語のパ行よりも息を強く出しながら発音します

차　チャ[tʃʰa]　tʃʰ音：日本語のチャ行よりも息を強く出しながら発音します

하　ハ[ha]　　h音　：ハ行の音です

B 激音を使った単語で発音練習

☐ 코 [kʰo] (鼻)　　☐ 토마토 [tʰomatʰo] (トマト)　　☐ 파 [pʰa] (長ネギ)

☐ 치마 [tʃʰima] (スカート)　　☐ 하마 [hama] (かば)　　☐ 키 [kʰi] (背)

☐ 조카 [tʃokʰa] (甥／姪)　　☐ 코코아 [kʰokʰoa] (ココア)

☐ 도토리 [totʰori] (どんぐり)　　☐ 코트 [kʰotʰɯ] (コート)　　☐ 사투리 [satʰuri] (方言)

☐ 피서 [pʰisɔ] (避暑)　　☐ 차 [tʃʰa] (車／茶)　　☐ 기차 [kitʃʰa] (汽車)

☐ 고추 [kotʃʰu] (とうがらし)　　☐ 기차표 [kitʃʰapʰjo] (切符)　　☐ 지하 [tʃiha] (地下)

☐ 호수 [hosu] (湖)　　☐ 오후 [ohu] (午後)

UNIT 8　子音⑤ ［濃音の発音］

濃音ㄲ／ㄸ／ㅃ／ㅉ／ㅆもまた平音をもとにできた5つの文字です。もとになった平音に形はよく似ており、音も「カ行・タ行・パ行・チャ行・サ行」に非常に似ていますが、日本語ではほとんど使われることのない、息が全くもれない高い音で発するのが濃音の特徴です。

A　濃音の種類と発音のコツ

ㄲ	ッカ [ʔka]	ʔk音	：「がっかり」の「っか」
ㄸ	ッタ [ʔta]	ʔt音	：「言った」の「った」
ㅃ	ッパ [ʔpa]	ʔp音	：「さっぱり」の「っぱ」
ㅉ	ッチャ [ʔtʃa]	ʔtʃ音	：「あっち」の「っち」
ㅆ	ッサ [ʔsa]	ʔs音	：「あっさり」の「っさ」

B　濃音を使った単語で発音練習

濃音を発音するとき、単語の前に小さい「ッ」を入れると発音しやすくなります。

☐ **까다** [ʔkada]（むく）　☐ **따르다** [ʔtaruda]（従う）　☐ **빠르다** [ʔparuda]（早い）
☐ **짜다** [ʔtʃada]（しょっぱい）　☐ **싸다** [ʔsada]（安い）　☐ **까치** [ʔkatʃi]（カササギ）
☐ **토끼** [taʔki]（うさぎ）　☐ **꼬마** [ʔkoma]（ちびっこ）　☐ **코끼리** [kʰoʔkiri]（象）
☐ **띠** [ʔti]（ベルト／帯）　☐ **따로** [ʔtaro]（他に）　☐ **뼈** [ʔpjɔ]（骨）　☐ **뽀뽀** [ʔpoʔpo]（キス）
☐ **뿌리** [ʔpuri]（根）　☐ **가짜** [kaʔtʃa]（偽物）　☐ **아저씨** [atʃɔʔsi]（おじさん）

＊ㄷの音が濁ることについてはUNIT10のBを参照。

UNIT 9 パッチムの種類と発音

CD 10

ここでは、パッチム（終声）について勉強します。パッチムがついている文字は、パッチムの音も含めて1音として一気に発音します。

A　パッチムの種類

パッチムの種類は、UNIT 4～8にて学習した子音19個（鼻音・流音・平音・激音・濃音）のうちㄴ／ㅁ／ㅇ／ㄹ／ㄱ／ㄷ／ㅂ／ㅈ／ㅅ／ㅋ／ㅌ／ㅊ／ㅍ／ㅎ／ㄲ／ㅆ16個と、2重パッチムㄳ／ㄵ／ㄶ／ㄺ／ㄻ／ㄼ／ㄽ／ㄾ／ㄿ／ㅀ／ㅄ11個の合計27個です（本書のカタカナの発音表記では、パッチムにあたる部分を小さい文字で記しています）。

B　パッチムの発音記号別分類

27個のパッチムがありますが、それらはn・m・ŋ・l・k・t・pの7種類の発音記号で分類することができます（赤文字は基本子音16個）。

n：ㄴ　ㄵ　ㄶ　　　　-k：ㄱ　ㅋ　ㄲ　ㄳ　ㄺ
m：ㅁ　ㄻ　　　　　　-t：ㄷ　ㅌ　ㅈ　ㅊ　ㅅ　ㅆ　ㅎ
ŋ：ㅇ　　　　　　　　-p：ㅂ　ㅍ　ㅃ　ㅄ　ㄿ
l：ㄹ　ㄽ　ㄾ　ㅀ

＊ㄺパッチムは次にくる文字がㄱのときはㄹを発音します

C　鼻音パッチム

1　鼻音がパッチムにくる場合

혼　ホン［hon］　「ほんと」の「ん」
　　　　　　　　「ン」を発音するときは舌は上あごにつけます

홈　ホﾑ［hom］　「ほんも」の「ん」
　　　　　　　　最後の「ム」を発音するときは口をぎゅっと閉じます

홍　ホン［hoŋ］　「ほんか」の「ん」
　　　　　　　　最後の「ン」を発音するときは口をぽっかりと開けます

＊パッチムの音も含めて一文字として一気に発音します。

2 鼻音パッチムを使った単語で発音練習

☐ **눈** [nun] (目／雪)　☐ **봄** [pom] (春)　☐ **방** [paŋ] (部屋)
☐ **안마** [anma] (マッサージ)　☐ **야망** [jamaŋ] (野望)　☐ **양** [jaŋ] (羊)
☐ **모양** [mojaŋ] (模様)　☐ **모임** [moim] (集まり)　☐ **라면** [ramjɔn] (ラーメン)
☐ **런닝** [rɔnniŋ] (ランニング)　☐ **영어** [jɔŋɔ] (英語)　☐ **장마** [tʃaŋma] (梅雨)

D　流音パッチム

1 流音がパッチムにくる場合

알　アル [al]　　　　**울**　ウル [ul]

2 流音パッチムを使った単語で発音練習

☐ **가을** [kaɯl] (秋)　☐ **말** [mal] (馬／言葉)　☐ **마늘** [manɯl] (にんにく)
☐ **서울** [sɔul] (ソウル)　☐ **정말** [tʃɔŋmal] (本当)

E　平音パッチム

1 平音がパッチムにくる場合

パッチム音はk／t／pの3種類しかありません。ㄱ[ᵏ]とㅂ[ᵖ]以外のㄷ／ㅈ／ㅅパッチムは実際に発音してみると全て同じ -t音のパッチムです。

악	アク [aᵏ]	−k音 :	「あっかん」の「あっ」 「k」を発音するときは口をぽっかりと開けます
앋	アッ [aᵗ]	−t音 :	「あった」の「あっ」 「t」を発音するとき舌は上あごにつけます
압	アプ [aᵖ]	−p音 :	「あっぱく」の「あっ」 「p」を発音するとき口をぎゅっと閉じます
앚	アッ [aᵗ]	−t音 :	「あった」の「あっ」 「t」を発音するとき舌は上あごにつけます
앗	アッ [aᵗ]	−t音 :	「あった」の「あっ」 「t」を発音するとき舌は上あごにつけます

2 平音パッチムを使った単語で発音練習

- 약 [jaᵏ] (薬) 　□ 곧 [koᵗ] (すぐ) 　□ 입 [iᵖ] (口) 　□ 낮 [naᵗ] (昼) 　□ 못 [moᵗ] (釘)
- 한국 [haⁿguᵏ] (韓国) 　□ 악수 [aᵏsu] (握手) 　□ 국 [kuᵏ] (汁) 　□ 책 [tʃʰɛᵏ] (本)
- 숟가락 [suᵗkaraᵏ] (スプーン) 　□ 밥 [paᵖ] (ご飯) 　□ 빚 [piᵗ] (借り) 　□ 옷 [oᵗ] (服)

F 激音パッチム

1 激音がパッチムにくる場合

パッチムの音は平音と同じk／t／pの3種類しかありませんので発音も平音と同じです。

악 アク[aᵏ]	-k音	「あっかん」の「あっ」 「k」を発音するときは口をぽっかりと開けます
앝 アッ[aᵗ]	-t音	「あった」の「あっ」 「t」を発音するとき舌は上あごにつけます
앞 アプ[aᵖ]	-p音	「あっぱく」の「あっ」 「p」を発音するとき口をぎゅっと閉じます
앛 アッ[aᵗ]	-t音	「あった」の「あっ」 「t」を発音するとき舌は上あごにつけます
앟 アッ[aᵗ]	-t音	「あった」の「あっ」 「t」を発音するとき舌は上あごにつけます

2 激音パッチムを使った単語で発音練習

- 부엌 [puɔᵏ] (台所) 　□ 밭 [paᵗ] (畑) 　□ 잎 [iᵖ] (葉) 　□ 몇 [mjɔᵗ] ("何個の"何)
- 좋다 [tʃoᵗta] (良い) 　□ 솥 [soᵗ] (釜) 　□ 밑 [miᵗ] (下) 　□ 낯 [naᵗ] (面)
- 빛 [piᵗ] (光) 　□ 앞 [aᵖ] (前) 　□ 숲 [suᵖ] (森) 　□ 히읗 [hiɯᵗ] (ㅎの呼称)

G 濃音パッチム

1 濃音がパッチムにくる場合

パッチムにくる濃音は2種類です。

깎다 ッカッタ [ˀkaˀta]（刈る）−k音 ：「k」を発音するとき舌は上あごにつけます

있다 イッタ [iˀta]（ある/いる）−t音 ：「t」を発音するとき舌は上あごにつけます

2 濃音パッチムを使った単語で発音練習

☐ **닦다** [taˀkta]（磨く）　☐ **했다** [hɛˀta]（〜した）

H 2重（2文字）パッチムの発音のしかた

*[ ]内のハングルは実際の発音です。一部の単語は発音変化していますが、これについては次のUNITにて学びます。

1 左の子音を読むもの

☐ **삯** [삭]（賃金）　☐ **앉다** [안따]（座る）　☐ **많다** [만타]（多い）

☐ **외곬** [외골]（一途）　☐ **핥다** [할따]（なめる）　☐ **앓다** [알타]（患う）

☐ **없다** [업따]（ない／いない）

2 右の子音を読むもの

☐ **삶** [삼]（人生）　☐ **읊다** [읍따]（詠む）　☐ **읽다** [익따]（読む）

*但し、ㄹㄱパッチム動詞の次にㄱがくるときはㄹを発音します。
　例：☐ **읽고 싶어요.** [일꼬 시퍼요]（読みたいです。）

3 母音が後ろに続くと両方読む

母音が後ろにくると連音化（34頁参照）が起こり、パッチムを2つとも発音します。

☐ **닭** [닥]（にわとり）　☐ **닭이** [달기]（にわとりが）

UNIT 10

文字通りに発音しない組み合わせ

CD 11

韓国語の文字には書いたとおりに発音しない文字の組み合わせが存在します。日本語では、「行くのですか」を日常会話では「行くんですか」と発音したり、「かんぱい」の「ん」が次に続く子音pの影響を受けて実際には「m」で発音したりします。韓国語にも様々な発音の変化があります。付録のCDを聞きながら発音の変化を練習することで、聞き取りだけではなく、綴りや正しい発音を学ぶことができます。

A 連音化［パッチム＋母音］

韓国語では、パッチムが音節の終わりにきて次の音節が母音で始まると、子音が次の音節に押し出されます。つまり、음악[으막]（音楽）、밥이[바비]（ごはん＋が）のようにパッチム（子音）の次に아／야／오など母音が続くと連音化します（[　]の中は綴りではなく、実際の発音を示します）。

만일　［마닐］（万一）
man il　manil

この場合は、パッチムㄴの後に母音이が続く場合、初声のㅇは発音されないため、パッチムの音ㄴに母音の音ㅣが続いて니と発音されます。

마늘이　［마느리］（にんにく＋が）
ma nɯl i　ma nɯ li

B 濁音化［母音＋平音＋母音］

母音と母音にはさまれると同じ平音の文字でも가가[カガ]、다다[タダ]、바바[パバ]、자자[チャジャ]のように濁音になりますがㅅパッチムは音の変化がありません。
また、鼻音ㄴ／ㅁ／ㅇと流音ㄹパッチムの後に平音が続くと、平音の音がにごって濁音になりますが、初声ㅅは変化がありません。

1 平音ㄱ／ㄷ／ㅈ／ㅂが母音と母音にはさまれる場合

가구 カグ[kagu]（家具）　　**구두** クドゥ[kudu]（靴）
나비 ナビ[nabi]（蝶）　　**모자** モジャ[moja]（帽子）

2 鼻音／流音の後に平音ㄱ／ㄷ／ㅈ／ㅂが続く場合

한강 ハンガン[haŋgaŋ]（漢江）　　**감자** カムジャ[kamja]（ジャガイモ）
선두 ソンドゥ[sɔndu]（先頭）　　**갈비** カルビ[kalbi]（カルビ）

＊漢字語 **여권**[joʔkwɔn]（旅券）や複合語 **김밥**[kimʔpaʔ]（海苔巻き）など、これらの発音の変化には当てはまらない例外もあります。

C　ㅎの音の特別な変化

ㅎの音は他の音の影響を受けやすいため、書いたとおりに発音しない場合が非常に多く最も注意が必要です。

1 ㅎの無音化

ㅎパッチムの次にㅇが続くと、その音自体がなくなります。

좋아요 [조아요]（良いです）　　**넣어요** [너어요]（入れます）

2 ㅎの弱音化

パッチムㄴ／ㅁ／ㄹの次にㅎが続く場合は、ㅎの音が弱くなります。これらをㅎの弱音化といいます。ニュースでは弱音化させずにはっきりと発音します。

전화 [저놔]（電話）　　**결혼** [겨론]（結婚）
감히 [가미]（敢えて）

3 ㅎの激音化

ㅎの音は平音と重なるときにも特殊な発音の変化をします。
まず平音パッチムㄱ／ㅂの次にㅎが続く場合、平音パッチムの音が連音化しつつㅋ／ㅍと激音化し、パッチムㅎの次にㄷが続く場合、パッチムの音が連音化しつつㅌと激音化します。

약하다 [야카다] (弱い)　　**집합하다** [지파파다] (集合する)

이렇다 [이러타] (こうだ)

D 濃音化

平音ㄱ／ㄷ／ㅂ／ㅈ／ㅅパッチムの次に平音が続く場合、後続する平音が濃音に変わります。

압박 [압빡] (圧迫)　　**학교** [학꾜] (学校)

받다 [받따] (もらう)

＊□**출장**[출짱](出張)、□**발달**[발딸](発達)などㄹで終わる漢字語にㅈ／ㅅ／ㅈで始まる別の漢字語が続く場合、これらの子音は濃音化します。
また、□**갈 거예요.**(行くんです。)のように未来を表す[ㄹ-ㄹ]の後でも[갈 꺼에요]のように濃音化します。
その他にも漢字語の複合語に□**총무과**(総務課)や□**장점**(長点)などの接尾辞が含まれる場合も[총무꽈][장쩜]のように濃音化します。
さらに□**제거**[제 께](私のもの)、□**용돈**[용똔](お小遣い)など、韓国古来のいくつかの語で濃音化がみられます。

E 鼻音化

1 パッチムの次に鼻音［ㅁ・ㄴ］が続くとき

パッチム[k／t／p]の次に鼻音[ㅁ・ㄴ]が続くとパッチムがそれぞれ[ㅇ・ㄴ・ㅁ]に変わります。

ⅰ）kパッチム＋ㅁ／ㄴ

작년 [장년] (去年)　　**백만** [뱅만] (100万)

ⅱ）tパッチム＋ㅁ／ㄴ

끝나다 [끈나다] (終わる)　　**꽃만** [꼰만] (花だけ)

ⅲ）pパッチム＋ㅁ／ㄴ

입맛 [임맛]（食欲／味）　　**합니다** [함니다]（〜します）

2 ㄹの鼻音化

ㄴとㄹ以外の子音の次にㄹがくる時だけㄹがㄴに変化する特殊なケースです。

종로 [종노]（鍾路＊ソウルの地名）　　**음력** [음녁]（陰暦）

심리 [심니]（心理）

＊ ■**식량**[싱냥]（食料）、■**입력**[임녁]（入力）、■**확률**[황뉼]（確率）など、ㄴとㄹ以外の子音がㄹの鼻音化を招き鼻音化したㄴが直前の子音を鼻音化させるケースもあります。

F ㄴを加える発音

1 パッチムの次にㅑ／ㅕ／ㅐ／ㅖ／ㅛ／ㅠが続くとき

パッチムの次にㅑ／ㅕ／ㅐ／ㅖ／ㅛ／ㅠで始まる母音が接続されると、発音上ㄴが追加されることがあります。

담요 [담뇨]（毛布）　　**한여름** [한녀름]（真夏）

2 ㄴの追加と直前の子音の鼻音化

ㄴが追加されることによって、直前のパッチムが鼻音化するケースもあります。

십육 [심뉵]（16）　　**속잎** [송닙]（若葉）

꽃잎 [꼰닙]（花びら）　　**앞일** [암닐]（将来のこと）

3 ㄴが追加される複合語

パッチムの次にㅣ／ㅑ／ㅕ／ㅐ／ㅖ／ㅛ／ㅠで始まる母音が接続される複合語でも、発音上ㄴが追加されることがあります。

한일 [한닐]（したこと）　　**무슨 요일** [무슨뇨일]（何曜日）

G 流音化

ㄴとㄹの組み合わせは、ㄴがㄹに変化します。

신라 [실라] (新羅)　　　**일년** [일련] (一年)

H 口蓋音化

ㄷ／ㅌパッチムのあとに이が続くとそれぞれ지／치に変化します。

해돋이 [해도지] (日の出)　　**같이** [가치] (一緒に)

묻히다 [무치다] (埋まる)

I 의の発音の変化

1 通常の発音

의が語頭にくる場合は의[ɰi]と発音します。

의사 [ɰisa] (意思／医師／義士)

2 [이] [i] と発音

의が語中にくる場合と、語頭でㅇ以外の子音とともに発音される場合は発音がしづらいので[이][i]と発音してもかまいません。

주의하다 [주이하다] (注意する)　**희다** [히다] (白い)

3 所有格の助詞의の場合は [에] [e] と発音します。

나라의 문제 [나라에 문제] (国の問題)

発音しづらい文字の組み合わせを発音しやすく体系化したのが発音の変化ですが、検定試験を目指す人は、初級で出題されますので覚えておいたほうが良いでしょう。

文法編
SECTION 1

韓国語の基本とよく使う表現をおさえよう

- UNIT 1　韓国語文法の基礎の基礎
- UNIT 2　人の呼び方を覚えよう
- UNIT 3　ハングルの「てにをは」を覚えよう
- UNIT 4　数と数え方(「個」など)を覚えよう
- UNIT 5　時の表し方を覚えよう
- UNIT 6　場所や空間、方角の表し方を覚えよう
- UNIT 7　ものごとを指す代名詞と疑問詞を覚えよう
- SECTION 1　チェック問題

UNIT 1　韓国語文法の基礎の基礎

CD 12

A 　처음　뵙겠습니다.
　　　チョウム　ペッケッスムニダ
　　　　　　丁寧な語尾합니다体

　　　야마다　씨입니까?
　　　ヤマダ　　ッシイムニッカ
　　　　　　指定詞이다（〜だ）の丁寧な語尾합니다体（疑問形）

B 　네, 야마다입니다.
　　　ネ　ヤマダイムニダ
　　　　　　指定詞이다（〜だ）の丁寧な語尾합니다体

A 　저는　이여원이라고　합니다.
　　　チョヌン　イヨウォニラゴ　　ハムニダ
　　　　　　動詞하다（する）の丁寧な語尾합니다体

　　　앞으로　잘　부탁드립니다.
　　　アップロ　チャル　プッタクトゥリムニダ
　　　　　　丁寧な語尾합니다体

B 　잘　부탁합니다.
　　　チャル　プッタッカムニダ
　　　　　　丁寧な語尾합니다体

> **わかるコト**
> ── 4大用言と「です／ます」調① ハムニダ体
> これから学ぶ文法に必要な韓国語の4大用言と「〜です／〜ます」で終わる最も丁寧な語尾である합니다ヨハムニダ体の作り方について説明します。

A はじめまして。

　　山田さんですか？

B はい、山田です。

A 私はイ・ヨウォンと申します。

　　これからどうぞよろしくお願いいたします。

B よろしくお願いします。

単語帳 CD 13

- 처음 뵙겠습니다. (はじめまして。)
- 처음 (はじめて)
- 뵙다 (お目にかかる)
- 씨 (さん)
- 네 / 예 (はい)
- (이)라고 합니다. (〜と申します。)

＊이영주など母音で終わる韓国人の姓名と日本人の姓名の場合は名前の次に라고 합니다をつなげ、박재인など子音で終わる韓国人の姓名の場合は이라고 합니다をつなげます。

補助単語
その他のあいさつの言葉

- 오래간만입니다. ヨオレガンマニムニダ
  (お久しぶりです。)
- 감사합니다. ヨカムサハムニダ
  (感謝します。)〔漢感謝〕
- 고맙습니다. ヨコマプスムニダ
  (ありがとうございます。)
- 천만에요. ヨチョンマネヨ
  (どういたしまして。)〔漢千万〕
- 잘 먹겠습니다. ヨチャル モッケッスムニダ
  (いただきます。)
- 잘 먹었습니다. ヨチャル モゴッスムニダ
  (ごちそうさまでした。)
- 미안합니다. ヨミアナムニダ
  (ごめんなさい。)〔漢未安〕
- 죄송합니다. ヨチェソンハムニダ
  (すみません。)〔漢罪悚〕
- 여기요. ヨヨギヨ / 저기요. ヨチョギヨ
  ("店員を呼ぶときの"すみません。)

韓国語の文法公式を覚えよう　CD 14

公式1 【基礎の基礎】4大用言と、そのしくみ

韓国語を学ぶうえで知っておくと便利な文法用語を覚えましょう。

A 基本の文法用語と用言の基本形

1 文法用語

体言：名詞のこと。活用しない（変化のない）言葉。
用言：動詞などのこと。活用する（変化する）言葉。
漢字語：もとは漢字で表していた言葉。現在は漢字表記せず、ハングル表記している。
固有語：漢字を使わない言葉。和語のように韓国語固有の言葉。

2 用言の基本形

基本形のしくみを見てみましょう。

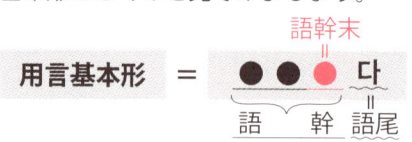

```
                         語幹末
                           ‖
用言基本形 ＝ ●●● 다
              ‾‾‾‾‾ ‖
               語幹  語尾
```

用言（「自立語」で活用があり単独で文節が作れる言葉）は**語幹**（다の前のアンダーラインの部分全て）**と語尾**（다の部分）**で構成**されています。**다の直前の1文字を語幹末**といいます。

日本語の五段活用は「歩**く**」という動詞の語尾である「**く**」が、「歩**か**ない」未然、「歩**き**ます」連用、「歩**く**」終止、「歩**く**とき」連体、「歩**け**ば」仮定、「歩**け**」命令と変化します。

韓国語は、語尾ではなく**語幹末**を活用します。

　ナガダ　　　　　　　　ナガムニダ
　나 가 다 (出る) → 나 갑 니다. (出ます。)

　マシダ　　　　　　　　マシムニダ
　마 시 다 (飲む) → 마 십 니다. (飲みます。)

B 4大用言の種類

韓国語の用言は大まかに4つに分けられます。用言の分類の仕方が日本語（日本語の用言は動詞、形容詞、形容動詞）と若干違いますので注意が必要です。活用形（SECTION 2）を覚えるときに大切になってきますので覚えておきましょう。

1 動詞：「物事の動作や状態」を表す言葉

_{カダ}
가다（行く）　　　_{オダ}
오다（来る）

2 形容詞：「物事の性質や状態」を表す言葉

_{イエップダ}
예쁘다（美しい）　　　_{ノプタ}
높다（高い）

3 存在詞：「そこにあるかどうか」を表す言葉

肯定形と否定形の2種類しかありません。

_{イッタ}
있다（ある／いる）　　　_{オプタ}
없다（ない／いない）

＊맛있다(美味しい)、재미있다(面白い)などは日本語では形容詞ですが、韓国語を直訳すると「味がある」「面白味がある」という存在詞であることが分かります。있다／없다を使う単語は存在詞に分類します。

4 指定詞：「体言（名詞と代名詞）のあとについて断定する」言葉

体言の後に必ずつけなければなりません。肯定形と否定形の2種類しかありません。

|体言|＋**이다**（〜だ）　　　|体言|＋**이/가 아니다**（〜ではない）

＊肯定形이다はそのまま体言につなげることができます。否定形아니다は体言のあとに助詞이／가(〜が)をつけて이／가 아니다と表現しますが、会話の中ではしばしば助詞が省略されます。

韓国語の文法公式を覚えよう　CD 14

公式2 会話で使う「〜です／〜ます」調の作り方（합니다体(ハムニダ)）

会話で使う語尾を学びましょう。

A　2種類の「〜です／〜ます」調

韓国語の丁寧な言い方の終結語尾である「〜です／〜ます」調には、「합니다（ハムニダ）体」（最もフォーマルな上称終止形＝より丁寧な語尾）と「해요（ヘヨ）体」（親しみを込めた終止形）の２通りあります。
そのうちの합니다体を勉強します。

B　합니다（ハムニダ）体の作り方

全ての用言は基本形のままで使うことはできませんので、活用をする場合は必ず語尾の다をとらなければなりません。

1　語尾다の前（語幹末）にパッチムがない用言

다の前の語幹末にパッチム（30㌻発音編UNIT 9参照）がない場合（①）は、語尾の다（②）を取ってから、-ㅂ니다を接続します。疑問文の場合は-ㅂ니까?を接続します。疑問文のときは語尾の까?の部分を上げて発音します。

基本形：**마시다** ㊂マシダ（飲む）　→　**마시**
　　　　①語幹末チェック　　　②語尾다を取ります

平叙文：**語幹末（パッチムなし）＋-ㅂ니다**
　　　　마십니다. ㊂マシムニダ（飲みます。）

疑問文：**語幹末（パッチムなし）＋-ㅂ니까?**
　　　　마십니까? ㊂マシムニッカ（飲みますか？）

UNIT 1

2 語尾다の前（語幹末）にパッチムがある用言

語幹末にパッチムがある場合（①）は語尾の다（②）を取ってから、-습니다を接続します。疑問文の場合は-습니까？を接続します。

基本形：**먹다** ㈎モクタ（食べる）→ **먹**
①語幹末チェック　②語尾다を取ります

平叙文：語幹末（パッチムあり）＋ **습니다**
　　　　먹습니다. ㈎モクスムニダ（食べます。）

疑問文：語幹末（パッチムあり）＋ **습니까？**
　　　　먹습니까？ ㈎モクスムニッカ（食べますか？）

C　4大用言ごとの「～です／～ます」調（합니다体）一覧表

用言	語幹末のパッチム	基本形	平叙文	疑問文
動詞	なし	마시다 飲む	마십니다. 飲みます。	마십니까？ 飲みますか？
	あり	먹다 食べる	먹습니다. 食べます。	먹습니까？ 食べますか？
形容詞	なし	바쁘다 忙しい	바쁩니다. 忙しいです。	바쁩니까？ 忙しいですか？
	あり	좋다 良い	좋습니다. いいです。	좋습니까？ いいですか？
存在詞	あり	있다 ある	있습니다. あります。	있습니까？ ありますか？
		없다 ない	없습니다. ありません。	없습니까？ ありませんか？
指定詞	なし	이다 だ	입니다. です。	입니까？ ですか？
		이/가 아니다 ではない	이/가 아닙니다. ではありません。	이/가 아닙니까？ ではありませんか？

かんたん 10分 エクササイズ DL 1

1 次の語を**합니다**体に変えて、文をそれぞれ完成させましょう。

① **좋아하다**（好き）
　물김치 _____?
　네, _____.
　水キムチ好きですか？
　はい、好きです。

② **예쁘다**（きれい）
　주연 씨 _____?
　네, _____.
　ジュヨンさんきれいですか？
　はい、きれいです。

③ **먹다**（食べる）
　김밥 _____?
　네, _____.
　海苔巻き食べますか？
　はい、食べます。

④ **있다**（ある／いる）
　우표 _____?
　네, _____.
　切手ありますか？
　はい、あります。

UNIT 1

2 次の語を組み合わせ、語尾を합니다体に変えて文を完成させましょう。

① **선생님**（先生）＋**이다**（〜だ）

_____?

네, _____.

先生ですか？
はい、先生です。

② **태주 씨**（テジュさん）＋**이다**（〜だ）

_____?

네, _____.

テジュさんですか？
はい、テジュです。

正解・解説

1 ①**물김치 좋아합니까?　네, 좋아합니다.**
＊좋아하다（良い／好き）は語幹末하にパッチムがありませんので -ㅂ니까？／ -ㅂ니다を接続します。

②**주연 씨 예쁩니까?　네, 예쁩니다.**
＊예쁘다（綺麗だ）は語幹末쁘にパッチムがありませんので -ㅂ니까？／ -ㅂ니다を接続します。

③**김밥 먹습니까?　네, 먹습니다.**
＊먹다（食べる）は語幹末먹にパッチムがありますので -습니까？／ -습니다を接続します。

④**우표 있습니까?　네, 있습니다.**〔漢郵票（切手）〕
＊있다には「（事物が）ある／（人が）いる」の2つの意味があります。語幹末있にパッチムがありますので -습니까？／ -습니다を接続します。

2 ①**선생님입니까?　네, 선생님입니다.**〔漢先生〕
＊名詞には必ず指定詞이다をつけなければなりません。そして이다の語幹末이にはパッチムがありませんので -ㅂ니까？／ -ㅂ니다を接続します。

②**태주 씨입니까?　네, 태주입니다.**
＊固有名詞や代名詞の後にも必ず指定詞이다をつけなければなりません。이다の語幹末이にはパッチムがありませんので -ㅂ니까？／ -ㅂ니다を接続します。

47

UNIT 2 人の呼び方を覚えよう

A 안녕하십니까?
<small>アンニョンハシムニッカ</small>

B 저는 이선민입니다.
<small>チョヌン イソンミニムニダ</small>
一人称単数「私」

B 저는 스기무라 유리라고 합니다.
<small>チョヌン スギムラ ユリラゴ ハムニダ</small>
一人称単数「私」

A 대학생입니까?
<small>テハㇰセンイムニッカ</small>

B 아니요, 회사원입니다.
<small>アニヨ フェサウォニムニダ</small>

> **わかるコト** ――人称代名詞と呼称
> 自己紹介のときに使う「私」などの人称代名詞を勉強します。

A こんにちは。

　私はイソンミンです。

B 私は杉村友里と申します。

A 大学生ですか？

B いいえ、会社員です。

나 (僕)　오빠 (お兄さん)

単語帳 CD 16

□ 안녕하십니까？

＊「こんにちは」だけではなく「おはようございます」「こんばんは」と一日中使えるあいさつの言葉です。해요体（126ページ参照）も覚えておきましょう。

□ 안녕하세요.

□ 저 (私)

□ 아니요 (いいえ)

補助単語

□ 일본 ⓙイルボン 漢日本

□ 한국 ⓙハングㇰ 漢韓国

□ 외국 ⓙウェグㇰ 漢外国

□ 사람 ⓙサラㇺ (人)

□ 인사하다 ⓙインサハダ (挨拶する) 漢人事

□ 자기소개하다 ⓙチャギソゲハダ
　(自己紹介する) 漢自己紹介

□ 안녕히 가세요. ⓙアンニョンヒ カセヨ
　("見送る人が使う"さようなら。) 漢安寧

□ 안녕히 계세요. ⓙアンニョンヒ ゲセヨ
　("去る人が使う"さようなら。)

□ 안녕히 주무세요. ⓙアンニョンヒ チュムセヨ
　(おやすみなさい。)

韓国語の文法公式を覚えよう CD 17

公式 3　人称代名詞の種類・使い方と呼称

韓国語の人称代名詞は「私／僕」などの日本語と同じように、使う相手によって形が変わります。

A　人称代名詞「単数」

一人称	チョ　チェ 저 / 제 (私) *①②	ナ　ネ 나 / 내 (あたし／僕) *①②	
二人称	チャネ 자네 (君) *①②	ノ　ネ 너 / 네 (お前) *①②	タンシン 당신 (あなた) *③
三人称	ク 그 (彼)	クニョ 그녀 (彼女)	

＊①一人称単数の저と나、二人称単数の너は、次に**助詞の가が接続**される場合、文字そのものが**제가(私が)、내가(僕が)、네가(お前が)**と変化します。
＊②一人称単数の저と나、二人称単数の너に、**助詞の의(の)を接続**する場合も**저의 책(私の本)**が縮約されて**제 책(私の本)、내 책(僕の本)、네 책(お前の本)**と短く形を変えます。
＊③당신は中年夫婦が使うか、心理的に距離感のある関係同士で使う呼称であり、一般的ではありません。

B　人称代名詞「複数」

一人称	チョイドゥル　チョイ 저희들 / 저희 (私ども) *①	ウリドゥル　ウリ 우리들 / 우리 (あたしたち／僕たち) *①	
二人称	チャネドゥル 자네들 (君たち)	ノイドゥル　ノイ 너희들 / 너희 (お前たち) *①	タンシンドゥル 당신들 (あなたたち)
三人称	クドゥル 그들 (彼ら)	クニョドゥル 그녀들 (彼女ら)	

＊複数形に使われる들は、**英語の複数形sと同じ働き**をし、**人だけではなく物にも**用いられます。
　□ペン　単 펜 ⓔペン　複 펜들 ⓔペンドゥル　　□本　単 책 ⓔチェク　複 책들 ⓔチェクドゥル

＊①저희／우리／너희はそれ自体に複数の意味を持ちますので들を省略してもかまいません。助詞「の」の省略については UNIT 3 にて学びます。
　□우리 나라 ⓔウリナラ (私たちの国)　□저희 회사 ⓔチョイフェサ (私たちの会社)

C その他の呼称

1 「フルネーム」+ 씨（〜さん）

職場などではお互い**フルネームに**「**씨(さん)**」をつけて呼び合います。

김수영 씨（キム・スヨンさん）　キムスヨン ッシ

유성진 씨（ユ・ソンジンさん）　ユソンジン ッシ

2 「フルネーム／姓」+「役職」+ 님（〜「役職」）

役職がついた上司などは**フルネームもしくは姓にそれぞれの役職**をつけて呼びます。そのさいには**必ず役職の後ろに님(様)**をつけます。

이봉태 부장님（イ・ボンテ部長）　イボンテ プジャンニム

이 과장님（イ課長）〔漢部長／課長〕　イ クヮジャンニム

ただし、一人しかいない役職の場合は、**役職+님の敬称だけ**で呼びます。

사장님（社長）　サジャンニム

팀장님 *①（チーム長）　ティムジャンニム

*①ドラマでよく聞くプロジェクトチームの長です。
*個人店のオーナー等には대표님〔漢代表 テピョニム〕が使われます。
*敬称には님がつきますが、手紙やメールなどで名前の後ろに「〜様」と書きたいとき님は使えません。귀하ヨキハ（貴下）を使います。

3 「名前」+ 누나／언니（〜姉さん）・형／오빠（〜兄さん）

親しい先輩や兄姉に対してはそれぞれ名前の後ろに「형／오빠（〜兄さん）」「누나／언니（〜姉さん）」をつけて呼びます。

呼ぶ人	呼称	呼ばれる人（男性）	呼ばれる人（女性）
男性	名前+형 누나	**지태형**（ジテ兄さん）ジテヒョン	**수정누나**（スジョン姉さん）スジョンヌナ
女性	名前+오빠 언니	**지태오빠**（ジテ兄さん）ジテオッパ	**수정언니**（スジョン姉さん）スジョンオンニ

韓国語の文法公式を覚えよう UNIT 2

4 「名前」＋야／아／이

後輩や弟妹は名前で呼びますが、名前の最後にパッチムがあるかないかでつける呼びかけ方が変わります。性別は関係ありません。

名前の最後の文字にパッチムがない場合は야をつけ、パッチムがある場合は아をつけます。三人称として目下の者を呼ぶ場合は名前の最後にパッチムがある場合のみ이をつけます。

人称	名前の最後	呼称	呼ばれる人（女性）	
二人称	パッチム なし	名前＋야	지태야 （ジテ） [ジテヤ]	영희야 （ヨンヒ） [ヨンヒヤ]
二人称	パッチム あり	名前＋아	대원아 （テウォン） [テウォナ]	미숙아 （ミスク） [ミスガ]
三人称	パッチム なし	名前	지태 （ジテ） [ジテ]	영희 （ヨンヒ） [ヨンヒ]
三人称	パッチム あり	名前＋이	대원이 （テウォン） [テウォニ]	미숙이 （ミスク） [ミスギ]

かんたん 10分 エクササイズ　UNIT 2

1 次の下線部を韓国語にして、文を完成させましょう。

① <u>私</u>です。　　_____입니다.

② <u>俺</u>？　　_____?

③ <u>パク課長</u>ですか？　박 _____입니까?

④ <u>私どもの</u>会社です。　_____회사입니다.

2 A群の名前の後ろにつける言葉をB群から選んで、呼びかけてみましょう。

A群	B群
① 女性から見た男性の先輩**태형**	Ⅰ 형
② 男性から見た女性の先輩**민아**	Ⅱ 야
③ 後輩**상우**に対して	Ⅲ 오빠
④ 後輩**영진**に対して	Ⅳ 아
⑤ 男性から見た男性の先輩**민우**に対して	Ⅴ 누나

正解・解説

1

① **저**입니다.

② **나**? ＊目上の人の前ではい（僕／俺）などの表現は使わないように気をつけましょう。

③ **박 과장님**입니까？〔漢課長〕＊役職には必ず님（様）をつけます。

④ **저희 회사**입니다. ＊組織を表すときは一般的には저희들ではなく저희を使います。
　　　チョイ　ペッカジョムル　チャジャジュショソ　テダニ　カムサハムニダ
　　저희 백화점을 찾아주셔서 대단히 감사합니다.
　　私どもの百貨店を訪ねてくださりまことにありがとうございます。
　　（日本のデパートでも流れている韓国語の館内放送のセリフです）

2

① ―Ⅲ 태형**오빠** ＊先輩を呼ぶ場合は自分の性別によって呼びかけ方が変わります。自分が女性なら「兄さん／姉さん」は「오빠／언니」。

② ―Ⅴ 민아**누나** ＊自分が男性なら「兄さん／姉さん」は「형／누나」。

③ ―Ⅱ 상우**야** ＊名前の最後にパッチムがないので야をつけます。

④ ―Ⅳ 영진**아** ＊名前の最後にパッチムがあるので아をつけます。

⑤ ―Ⅰ 민우**형**

UNIT 3 ハングルの「てにをは」を覚えよう

CD 18

A 저<u>는</u> 은행원입니다.
　　　助詞「は」
　　チョヌン　ウネンウォニムニダ

　　날<u>마다</u> 바쁩니다.
　　ナルマダ　　パップムニダ

B 우리들<u>은</u> 학생입니다.
　　　　　　助詞「は」（Aと形は違いますがこれも助詞「は」です）
　　ウリドゥルン　ハクセンイムニダ

A 누<u>가</u> 갑니까?
　　　助詞「が」
　　ヌガ　カムニッカ

B 네, 제<u>가</u> 갑니다.
　　　　　助詞「が」
　　ネ　チェガ　カムニダ

> **わかるコト**
> ──助詞
> ここでは、日本語の「が、は、に、を」にあたる韓国語の助詞を勉強します。
> 体言の語尾にパッチムがあるかないかで、接続する助詞が変わります。

A 私は銀行員です。

　毎日忙しいです。

B 私たちは学生です。

- -

A 誰が行きますか？

B はい、私が行きます。

単語帳 CD 19

- 은행원 （銀行員）
- 학생 （学生）
- 날마다 （毎日）
- 바쁘다 （忙しい）
- 누가 （誰が）
- 가다 （行く）

補助単語

- 공무원 ヨコンムウン （公務員）
- 주부 ヨチュブ （主婦）
- 교사 ヨキョサ （教師）
- 운전기사 ヨウンジョンキサ （運転手）〔運転技師〕
- 의사 ヨウィサ （医師）
- 간호사 ヨカノサ （看護師）
- 약사 ヨヤクサ （薬剤師）〔薬師〕
- 대학생 ヨテハクセン （大学生）
- 고등학생 ヨコドゥンハクセン （高校生）〔高等学生〕
- 중학생 ヨチュンハクセン （中学生）
- 초등학생 ヨチョドゥンハクセン （小学生）〔初等学生〕

韓国語の文法公式を覚えよう

公式 4　助詞の使い方と一覧表

韓国語の助詞には2つの形を持つものがあり、**体言（名詞・代名詞）の最後の文字にパッチムがあるかないかで接続する助詞が変わります。**

A　助詞の使い方

まずは助詞の「は」を例に説明します。「は」には、-는／-은の2種類があります

1　体言の最後の文字にパッチムがない場合は -는を接続します。

キムチヌン
김치**는**（キムチは）

2　体言の最後の文字にパッチムがある場合は -은を接続します。

ネンミョヌン
냉면**은**（冷麺は）

B　語順について

語順は日本語とほぼ同じです。

チョヌン　ハングㇰサラミムニダ
저는 한국사람입니다.
私は　　韓国人　　　です。

ソンセンニムン　イルボンサラミムニッカ
선생님은 일본사람입니까?
先生は　　　日本人　　　ですか。

56

C 助詞一覧表

語尾にパッチムの**ない**体言：김치（キムチ）　경주（慶州）　친구（友達）
語尾にパッチムの**ある**体言：냉면（冷麺）　부산（釜山）　선생님（先生）

	体言の語尾のパッチム		
	なし	あり	
が *①	-가 ㅋガ	-이 ㅋイ	□김치가　□냉면이
は *①	-는 ㅋヌン	-은 ㅋウン	□김치는　□냉면은
を	-를 ㅋルル	-을 ㅋウル	□김치를　□냉면을
と（文語的）	-와 ㅋワ	-과 ㅋクヮ	□김치와 냉면　□냉면과 김치
と（口語的）	-랑 ㅋラン	-이랑 ㅋイラン	□김치랑 냉면　□냉면이랑 김치
	-하고 ㅋハゴ（体言を選ばず使える口語的表現）		
（方向）へ（手段）で	-로 ㅋロ	-으로 ㅋウロ *②	□경주로　□부산으로
（事物）に	-에 ㅋエ		□경주에　□부산에
（人物）に	-에게 ㅋエゲ / -한테 ㅋハンテ		□선생님에게　□친구한테
（人物）から	-에게서 ㅋエゲソ / -한테서 ㅋハンテソ		□선생님에게서　□친구한테서
（時間）から	-부터 ㅋプト		□한 시부터（1時から）
まで	-까지 ㅋカジ *③		□두 시까지（2時まで）
の	-의 ㅋエ *④		□선생님의 책（先生の本） □저의 책→제 책（私の本 *略体形を使います）
(～の) 上	-위 ㅋウィ		
(～の) 下	밑 ㅋミ / 아래 ㅋアレ *⑤		
(～の) 横	옆 ㅋヨプ		
(～の) 前	앞 ㅋアプ		
(～の) 後ろ	뒤 ㅋトゥィ		
(～の) 中	안 ㅋアン / 속 ㅋソク *⑥		
(～の) 外	밖 ㅋパク		
(～の) 右	오른쪽 ㅋオルンチョク		
(～の) 左	왼쪽 ㅋウエンチョク		

韓国語の文法公式を覚えよう　CD 20　　　　　　　　　　　　　　　　　　　UNIT 3

*①**韓国語の主格助詞は은／는「は」ではなく이／가「が」です。**「は」は主格助詞の「が」と目的格助詞の「を」の代わりの補助詞や、質問に答える際に強調の意味として使われます。日本語と微妙に違う部分ですが、最初のうちはあまり神経質にならずに勉強しましょう。
*②**語幹末にㄹを持つ体言は로の前でもㅇ가入りません。**
　　□지하철로(地下鉄で)　　□연필로(鉛筆で)　　□칼로(ナイフで)
*③까지(～までは)時間だけでなく場所にも使います。
*④의は会話の中でよく省略されます。
*⑤ **책상 밑에**(机の下に)のように**一般的な場所の「下」を表す場合は「밑」を使い、**□ 아래 층에(下の階に)のように**階層を表す場合は「아래」を使います。**
*⑥ 通常囲まれた部分の内側や、時間・空間・数量の範囲内を表すときに「안」を使い、**内容や中身を表すときには「속」**を使います。
　　□집 안(家の中)　　□이 안(この中)　　□머리 속(頭の中)　　□산속(山の中)

正解・解説　　　　　　　　　　　　　　　　　　　　　　(59ページ・エクササイズ)

1　① **저**는 **나카무라입니다.**
　　　＊저(私)は語尾にパッチムがないので는が接続されます。

　　② **우리들**은 **한국사람입니다.**
　　　＊우리들(私たち)は語尾にパッチムがあるので은が接続されます。

　　③ **누나**는 **회사원입니다.**
　　　＊누나(姉さん)は語尾にパッチムがないので는が接続されます。

　　④ **선생님**이 **일본사람입니까?**
　　　＊선생님(先生)は語尾にパッチムがあるので이が接続されます。

2　① **제**가 **무라타입니다.**
　　　＊저は助詞가の前で제に形が変わります。

　　② **우리**는 **직장인입니다.** / **우리들**은 **직장인입니다.**
　　　＊우리はそれ自体が複数の意味を持つので들を省略できます。省略の場合は語尾にパッチムがないので는、省略しない場合はパッチムがあるので은を接続します。また、직장인(社会人)は〔職場人〕という漢字語を使います。

　　③ **과장님**이 **갑니다.**
　　　＊과장님は語尾にパッチムがあるので이が接続されます。

かんたん 10分 エクササイズ   UNIT 3

1 日本語を参考にして、下線部に適切な言葉を入れましょう。

① 저_____ 나카무라입니다.
私は中村です。

② 우리들_____ 한국사람입니다.
私たちは韓国人です。

③ 누나_____ 회사원입니다.
姉は会社員です。

④ 선생님_____ 일본사람입니까?
先生が日本人ですか？

2 日本語を参考にして、下線部に適切な言葉を入れましょう。

① 제_____ 무라타입니다.
私が村田です。

② 우리_____ 직장인입니다.
私たちは社会人です。

③ 과장님_____ 갑니다.
課長が行きます。

UNIT 4 数と数え方(「個」など)を覚えよう

CD 21

A 커피 두 잔 얼마입니까?
　　　コピ　トゥ ジャン　オルマイムニッカ
固有数字「2」+助数詞「杯」

B 만이천 원입니다.
　　　マンイチョン　ノニムニダ
漢数字「万二千」+韓国のお金の単位「ウォン」

A 비쌉니다.
　　　ピッサムニダ

A 귤이 몇 개 있습니까?
　　　キュリ　ミョッ ケ　イッスムニッカ
数をたずねる疑問詞「何」+助数詞「個」

B 세 개 있습니다.
　　　セ ゲ　イッスムニダ
固有数字「3」+助数詞「個」

韓国マメ知識　箸とスプーン

韓国では汁物とご飯はスプーンを使い、おかずは箸で食べる習慣があります。汁物の中にご飯を入れてスプーンですくって食べてもかまいません。

> **わかるコト**
> ── 2種類の数詞と助数詞
> ここでは、数詞と数詞に接続する「個」や「杯」などの助数詞を勉強します。

A コーヒー2杯いくらですか？

B 12000ウォンです。

A 高いです。

A みかんが何個ありますか？

B 3個あります。

이천 원
（2000ウォン）

세 개
（3個）

다섯 잔
（5杯）

単語帳 CD 22

☐ 커피 (コーヒー)

☐ 얼마입니까? (いくらですか？)

☐ 만이천 (漢一万二千)

☐ 원 (ウォン)

☐ 비싸다 (高い＊値段にのみ使われる)

☐ 귤 (みかん)

☐ 몇 (何＊数を数えるときの疑問詞)

☐ 개 (漢個)

☐ 세 ("助数詞の前でパッチムが脱落した固有数詞の" 3 ＊基本形は셋)

韓国語の文法公式を覚えよう

公式 5 | 数詞（漢数字と固有数字）と助数詞

数字には、漢字語の数詞である漢数字「いち・に・さん」と、固有語の数詞である固有数字「ひとつ・ふたつ・みっつ」の2種類があります。

A 数詞一覧表

	0	1	2	3	4	5
漢数字	ヨン 영	イル 일	イ 이	サム 삼	サ 사	オ 오
固有数字	コン (공)	ハナ／ハン 하나／한	トゥル／トゥ 둘／두	セッ／セ 셋／세	ネッ／ネ 넷／네	タソッ 다섯

	6	7	8	9	10
漢数字	ユッ 육	チル 칠	パル 팔	ク 구	シプ 십
固有数字	ヨソッ 여섯	イルゴプ 일곱	ヨドルプ 여덟	アホプ 아홉	ヨル 열

＊0を示すには漢字語の영のほかに、アラビア数字の0を表す공（空）もあり、電話番号を言うときなどで使われます。算数などでは영（零）を使います。

＊数詞の後ろに助数詞がつく場合、**固有数字1～4までと20の形が変わります。**
　20＝ 스물／스무　例： 스무 살（はたち／20歳）

B 助数詞

助数詞は漢数字につくものと、固有数字につくものと分けて用います。

1 漢数字につく助数詞

☐ **년** ョニョン（漢年）　☐ **월** ョウォル（漢月）　☐ **일** ョイル（漢日）　☐ **분** ョプン（漢分）
☐ **초** ョチョ（漢秒）　☐ **원** ョウォン（ウォン）　☐ **인분** ョインブン（漢人分）　☐ **호선** ョホソン（漢号線）

62

UNIT 4

2 固有数字につく助数詞

- □ **시** ョシ (漢時)　□ **시간** ョシガン (漢時間)　□ **사람** ョサラム (人)　□ **명** ョミョン (漢名)
- □ **살** ョサル (歳)　□ **개** ョケ (漢個)　□ **대** ョデ (漢台)　□ **마리** ョマリ (匹)
- □ **권** ョクォン (冊) 〔漢冊〕　□ **장** ョチャン (枚) 〔漢張〕　□ **잔** ョチャン (杯) 〔漢盃〕
- □ **병** ョビョン (本) 〔漢瓶〕　□ **그릇** ョクルッ (膳)　□ **접시** ョチョプシ (皿)　□ **번** ョボン (回) 〔漢番〕
- □ **번째** ョボンチェ (回目／漢番目)

＊**번째(回目)は 1 番目のときのみ**일ではなく첫を使います。
　□ **첫 번째** (1回目)

公式 6　漢数字と固有数字の使い分け

買い物をするときなど、日常生活には欠かせない数詞の使い分けを学びましょう。

A　数詞の使い分け

1　漢数字（電話番号やお金の単位に使う数字）

a) 電話番号　電話番号で使う「-」ハイフンは、格助詞の의ョエ（の）を使う場合と、다시ョタシ（ハイフン）を使う場合があります。

チョナボノヌン　　コンイエ　オサミユゲ　　チルパロクイムニダ
전화번호는 공이의 오삼이육의 칠팔오구입니다.
電話番号は02-5326-7859です。〔漢電話番号〕

b) お金　1万ウォンなどでは、日本語とは違い일（1）はつけません。

ペグォン　　　　チョノン　　　　マヌォン　　　　イマノチョヌォン
백 원　　천 원　　만 원　　이만오천 원
100ウォン　　1000ウォン　　10000ウォン　　25000ウォン

63

韓国語の文法公式を覚えよう　CD 23　　UNIT 4

2 固有数字（物の数を数えるときに使う数字）

_{チェギ　トゥ　グォン　イッスムニダ}
책이 두 권 있습니다.（本が2冊あります。）

_{カンアジガ　ネ　マリ　イッスムニダ}
강아지가 네 마리 있습니다.（子犬が4匹います。）

3 注文するときに役立つフレーズ

ショッピングするときや、食堂で注文するときなど、とっさの会話で助数詞を思い出せなくても固有数字だけで通じるフレーズを覚えておきましょう。ネーティブスピーカーも使う自然な表現です。

_{サムゲタン　トゥル　ジュセヨ}
삼계탕 둘 주세요.（参鶏湯ふたつください。）

_{イゴ　ハナ　ジュセヨ}
이거 하나 주세요.（これひとつください。）

正解・解説　（65ページ・エクササイズ）

1
① **우리 여동생은 세 살입니다.**
＊1～4の固有数字は助数詞が接続されると形が変わります。3は셋→세に。

② **서울까지 한 시간 걸립니다.**
＊1は助数詞が接続されると하나→한に変わります。

③ **맥주가 다섯 병 있습니다.**
＊5は助数詞が接続されても、そのまま使えます。

④ **집에 차가 두 대 있습니다.**
＊2も둘→두とパッチムがとれます。車は차（漢車）と 자동차（漢自動車）どちらも使えます。

2
① **제 핸드폰번호는 공공공의 사오이육의 육육오오입니다.**
② **선생님 전화번호는 공공의 팔오팔오의 구칠팔육입니다.**
＊数字を発音するときも音が連音化しますので注意しましょう。

3
① **서울에서 강릉까지 만 원입니다.**
＊10000ウォンは일만 원ではなく만 원です。

② **천 원 있습니다.**

かんたん 10分 エクササイズ　UNIT 4

1 日本語を参考にして、下線部に適切な言葉を入れましょう。

① 우리 여동생은 _____ 살입니다.
私の妹は3歳です。

② 서울까지 _____ 시간 걸립니다.
ソウルまで1時間かかります。

③ 맥주가 _____ 병 있습니다.
ビールが5本あります。

④ 집에 차가 _____ 대 있습니다.
家に車が2台あります。

2 日本語を参考にして、下線部に適切な言葉を入れましょう。

① 제 핸드폰번호는 _____ 입니다.
私の携帯電話番号は 000-4526-6655 です。

② 선생님 전화번호는 _____ 입니다.
先生の電話番号は 00-8585-9786 です。

3 日本語を参考にして、下線部にに適切な言葉を入れましょう。

① 서울에서 강릉까지 _____ 입니다.
ソウルからカンヌンまで 10000 ウォンです。

② _____ 있습니다.
1000 ウォンあります。

UNIT 5 時の表し方を覚えよう

A 준희 씨 생일이 언제입니까?
<small>チュニ ッシ センイリ オンジェイムニッカ</small>
<small>日にちをたずねる疑問詞「いつ」</small>

B 시월 십일입니다.
<small>シウォル シビリムニダ</small>
<small>「月」 「日」</small>

A 오늘은 무슨 요일입니까?
<small>オヌルン ムスン ニョイリムニッカ</small>
<small>「何曜日」</small>

B 수요일입니다.
<small>スヨイリムニダ</small>
<small>「水曜日」</small>

A 지금 몇 시입니까?
<small>チグム ミョッ シイムニッカ</small>
<small>「何時」</small>

B 지금 열두 시 반입니다.
<small>チグム ヨルトゥ シ パニムニダ</small>
<small>「時」</small>

> **わかるコト**
> ──月日・曜日・時間
>
> 月日と曜日、時間の表し方について勉強します。UNIT4で覚えた数詞を使います。

A チュニさんの誕生日がいつですか？
B 10月10日です。

A 今日は何曜日ですか？
B 水曜日です。

A 今何時ですか？
B 今12時半です。

単語帳 CD 25

- 생일 (誕生日) 〔漢生日〕
- 언제 (いつ)
- 월 (月)
- 일 (日)
- 오늘 (今日)
- 무슨 요일 (何曜日) 〔漢曜日〕
- 수요일 (漢水曜日)
- 몇 시 (何時)
- 시 (時)
- 반 (漢半)

韓国語の文法公式を覚えよう　CD 26

公式 7　年月日と曜日、時間

月日は漢数字が用いられますが、**時間は固有数字と漢数字の両方**が使われます。**曜日は漢字語がもと**になっていて、日本語と発音が少し違います。

A　月日

6月と10月のみ数字の基本形が変わります。

1月	2月	3月	4月	5月	6月
イルォル	イウォル	サムォル	サウォル	オウォル	ユウォル
일월	이월	삼월	사월	오월	유월
7月	8月	9月	10月	11月	12月
チルォル	パルォル	クウォル	シウォル	シビルォル	シビウォル
칠월	팔월	구월	시월	십일월	십이월

月日をたずねるときには몇を使います。

オヌルン　　ミョ ドル　ミョッチリムニッカ
오늘은 몇 월 며칠입니까?（今日は何月何日ですか？）

＊何月何日の「何日」の表記は、元々は몇일でしたが、時の流れとともに発音通りに**며칠**と書くようになりました。
몇は、**몇 개입니까?**（何個ですか？）や**몇 장입니까?**（何枚ですか？）と数量をたずねるときにも使われます。

B　年

年号は西暦で答えます。

チョンクベックシビイ　ニョン
천구백구십이 년（1992年）

イチョンシムニュッ　ニョン
이천십육 년（2016年）

生まれ年のたずね方と答え方は以下の通りです。

ミョン　ニョンセンイムニッカ
몇 년생입니까?
何年生まれですか？

クシボ　　ニョンセンイムニダ
구십오 년생입니다.
95年生まれです。

68

長幼の序を重んじる韓国では、初対面の人に生まれ年を聞くことは失礼に当たりません。また、数え年を使うこともあり、「何歳ですか？」ではなく「何年生まれですか？」とたずねることが多く、返答する場合は西暦の下2桁を漢数字で答えます。通常の年表記はアラビア数字です。

C 時間

時間の単位は固有数詞を使い、**分の単位は漢数字**を使います。通常の時間表記はアラビア数字です。

<ruby>한</ruby> <ruby>시</ruby> <ruby>십</ruby> <ruby>분</ruby> (1時10分)　　<ruby>두</ruby> <ruby>시</ruby> <ruby>이십</ruby> <ruby>분</ruby> (2時20分)
ハン シ シッ プン　　　　　　　　　　トゥ シ イシッ プン

한 시 십 분 (1時10分)　　**두 시 이십 분** (2時20分)

セ シ パン
세 시 반 (3時半)

時間をたずねる疑問詞には몇を使います。

チグム ミョッ シイムニッカ
지금 몇 시입니까? (今何時ですか?)

韓国では17時、18時などの表現は日常ではあまり使われず、아침～시(朝～時)、오전～시(午前～時)、오후～시(午後～時)저녁～시(夕方～時)という表現を使います。

D 曜日

曜日には漢字語を使います。

月曜日	火曜日	水曜日	木曜日
ウォリョイル **월요일**	ファヨイル **화요일**	スヨイル **수요일**	モギョイル **목요일**
金曜日	土曜日	日曜日	
クミョイル **금요일**	トヨイル **토요일**	イリョイル **일요일**	

曜日をたずねるときは무슨(何)を使います。

オヌルン ムスン ニョイリムニッカ
오늘은 무슨 요일입니까? (今日は何曜日ですか?)

かんたん 10分 エクササイズ　DL 5

1 日本語を参考にして、次の下線部（年月日）を埋めましょう。

① **어머니 생일은 ＿＿＿＿＿＿＿＿＿＿ 입니다.**
　お母さんの誕生日は 10 月 25 日です。

② **동주 씨는 ＿＿＿＿＿＿＿생입니다.**
　トンジュさんは 93 年生まれです。

③ **＿＿＿＿＿＿＿생입니까? 저랑 동갑입니다.**
　90 年生まれですか？　私と同い年です。

2 日本語を参考にして、次の下線部（時間）を埋めましょう。

① **지금 ＿＿＿＿ 시 ＿＿＿＿ 분입니다.**
　今、9 時 30 分です。

② **＿＿＿＿시에 갑니다.**
　1 時に行きます。

③ **＿＿＿＿＿시까지 역에 갑니다.**
　8 時までに駅に行きます。

3 日本語を参考にして、次の下線部（曜日）を埋めましょう。

① 팔월 이십일은 ＿＿＿＿＿＿입니다.
　8月20日は土曜日です。

② ＿＿＿＿＿＿부터 ＿＿＿＿＿＿ 까지 한국에 갑니다.
　火曜日から日曜日まで韓国に行きます。

正解・解説

1
① 어머니 생일은 시월 이십오일입니다.
　＊6月と10月は漢数字の形が変わります。생일이 언제입니까？（誕生日はいつですか？）質問するときは이／가(が)の助詞を使い、答えるときには은／는(は)を使います。答えるときの助詞은／는(は)には強調の意味があります。

② 동주 씨는 구십삼 년생입니다.
　＊韓国では数え年を使いますので、몇 살입니까？（何歳ですか？）よりも몇 년생입니까？（何年生まれですか？）とたずねるのが普通ですので、答える場合は西暦の下2桁を答えます。

③ 구십 년생입니까? 저랑 동갑입니다.

2
① 지금 아홉 시 삼십 분입니다.
　＊時間を表す場合、時の前は固有数字で、分の前は漢数字を使います。また30分を반(半)と言い表すこともできます。

② 한 시에 갑니다.
③ 여덟 시까지 역에 갑니다.

3
① 팔월 이십일은 토요일입니다.
② 화요일부터 일요일까지 한국에 갑니다.

UNIT 6 場所や空間、方角の表し方を覚えよう

CD 27

A 어디에 사전이 있습니까?
オディエ サジョニ イッスムニッカ
場所をたずねる疑問詞「どこ」 存在詞＋합니다体の疑問形

B 여기에 있습니다.
ヨギエ イッスムニダ
「ここ」

A 책상 위에 시계가 없습니까?
チェクサン ウィエ シゲガ オプスムニッカ
「上」 存在詞の否定形＋합니다体の疑問形

B 네, 없습니다.
ネ オプスムニダ
存在詞の否定形＋합니다体

> 韓国マメ知識
>
> **混ぜる文化**
>
> 韓国の家庭料理として代表的な□비빔밥ョビビムパブ（ビビンパ）は、□비비다ョビビダ（混ぜる）という動詞からできた「混ぜご飯」という意味の食べ物です。□비빔냉면ョビビムネンミョン（ビビン冷麺）や□카레라이스ョカレライス（カレーライス）、□팥빙수ョパッピンス（かき氷）なども混ぜて食べるのが韓国流です。

> **わかるコト** ──ここ／どこ／そこや前後左右
>
> 「ここ／そこ」など場所を指す代名詞と、「前／後ろ」などの場所を表す言葉を勉強します。

A　どこに辞書がありますか？
B　ここにあります。

A　机の上に時計がありませんか？
B　はい、ありません。

오른쪽 (右側)　왼쪽 (左側)

単語帳 CD 28

- 어디 (どこ)
- 여기 (ここ)
- 사전 (漢 辞典)
- 책상 (机) 〔漢 冊床〕
- 시계 (漢 時計)
- 위 (上)
- 있다 (ある)
- 없다 (ない)

73

韓国語の文法公式を覚えよう　CD 29

公式 8　場所・空間・方角の表現と、助動詞「〜に」、存在詞

場所を表す指示代名詞は全部で4つあります。その他「上／下」などの場所や方向を表す言葉を覚えましょう。

A　場所を表す指示代名詞

ここ	そこ	あそこ	どこ
ヨギ 여기	コギ 거기	チョギ 저기	オディ 어디

場所をたずねる疑問詞には어디(どこ)を使います。

빵집이 어디입니까?（パン屋がどこですか?）
ッパンチビ　オディイムニッカ

＊韓国語の主格助詞は은／는「は」ではなく이／가「が」です。「は」は主格助詞の「が」と目的格助詞の「を」の代わりの補助詞や、質問に答える際に強調の意味として使われます。

B　その他の場所を表す言葉

上	下	前	後ろ
ウィ 위	ミッ　アレ 밑 / 아래	アプ 앞	トゥィ 뒤
横	中	外	
ヨプ 옆	アン　ソク 안 / 속	パク 밖	
右側	左側	どちら側	
オルンチョク 오른쪽	ウェンチョク 왼쪽	オヌチョク 어느쪽	
漢東側	漢西側	漢南側	漢北側
トンチョク 동쪽	ソッチョク 서쪽	ナムチョク 남쪽	プッチョク 북쪽

場所を表す言葉は必ず体言の後に接続され、体言の次には助詞の에(に)や에서(で)を接続します。「家の前」の「の」にあたる의は通常省略します(57ページ「助詞一覧表」参照)。

UNIT 6

^{ピョニジョムン　ヨク　オヌッチョゲ　イッスムニッカ}
편의점은 역 어느쪽에 있습니까?
コンビニは駅のどちら側にありますか？〔漢便宜店（コンビニ）〕〔漢駅〕

^{ヨク　ナムチョゲ　イッスムニダ}
역 남쪽에 있습니다.
駅の南側にあります。

C　助詞「〜に」の使い方

助詞에（〜に）は、事物（場所や物、時間、曜日を表す指示代名詞）に接続します（UNIT 3参照）。

^{チ　バッペ}
집 앞에（家の前に）

^{ハングゲ　カムニダ}
한국에 갑니다.（韓国に行きます。）

^{ペッカジョメ　オプスムニダ}
백화점에 없습니다.（デパートにありません。）〔漢百貨店〕

^{ッパンチビ　オディエ　イッスムニッカ}
빵집이 어디에 있습니까?（パン屋がどこにありますか？）

D　存在詞「ある／ない」「いる／いない」

4大用言の1つである存在詞（있다／없다）は物や人物の存在の有無を表します。

1　物の存在

^{カバン　アネ　ヘンドゥポニ　イッスムニダ}
가방 안에 핸드폰이 있습니다.（かばんの中に携帯電話があります。）

2　人の存在

^{カゲ　アッペ　サラミ　オプスムニダ}
가게 앞에 사람이 없습니다.（店の前に人がいません。）

3　時間などの有無

^{ネイル　シガニ　イッスムニッカ}
내일 시간이 있습니까?（明日時間がありますか？）〔漢来日（明日）〕

かんたん10分エクササイズ

1 日本語を参考にして、下線部に適切な言葉を入れましょう。

① **백화점이** _____ **에 있습니까?**
デパートがどこにありますか？

② _____ **에 있습니다.**
あそこにあります。

③ **역** _____ **에 있습니다.**
駅前にあります。

④ **가방** _____ **에 지갑이 있습니다.**
かばんの中に財布があります。

⑤ _____ **에 경찰서가 보입니다.**
右側に警察署が見えます。

⑥ **집** _____ **에 공원이 있습니다.**
家の後ろに公園があります。

UNIT 6

2 日本語を参考にして、下線部に適切な言葉を入れましょう。

① **집에 고양이가 두 마리 ＿＿＿＿＿＿.**
家に猫が２匹います。

② **집 앞에 편의점이 ＿＿＿＿＿＿.**
家の前にコンビニがありません。

正解・解説

1
① 백화점이 어디에 있습니까?
② 저기에 있습니다.
③ 역 앞에 있습니다.
④ 가방 안에 지갑이 있습니다.
⑤ 오른쪽에 경찰서가 보입니다. [漢警察署]
⑥ 집 뒤에 공원이 있습니다. [漢公園]

2
① 집에 고양이가 두 마리 **있습니다**.
  *「いる」は存在詞の있다を使います。
② 집 앞에 편의점이 **없습니다**.
  *存在詞있다(ある/いる)の否定形は없다(ない/いない)を使います。

UNIT 7 ものごとを指す代名詞と疑問詞を覚えよう

CD 30

A 이것이 무엇입니까?
　イゴシ　　ムオシムニッカ
　「これ」　　疑問詞「何」

B 그것은 김치 냉장고입니다.
　クゴスン　キムチ　ネンジャンゴイムニダ
　「それ」

A 냉장고 안에 김치가 있습니까?
　ネンジャンゴ　アネ　キムチガ　イッスムニッカ
　　　　　　　「中」

B 네, 김치가 많이 있습니다.
　ネ　キムチガ　マニ　イッスムニダ

韓国マメ知識　女性はお酒をしない

儒教文化の影響で、女性は男性にお酒をしてはいけないと言われていますし、女性にお酒を強要してもいけません。

> **わかるコト** ──これ／それ／どの？／何？
> 「これ／それ」などものごとを指す代名詞と「何ですか？」という疑問詞について勉強します。

A これが何ですか？

B それはキムチ冷蔵庫です。

A 冷蔵庫の中にキムチがありますか？

B はい、たくさんあります。

📖 単語帳 CD 31

- 이것 (これ)
- 그것 (それ)
- 무엇 (何)
- 김치 (キムチ)
- 냉장고 (園冷蔵庫)
- 많이 (たくさん)

公式 9 「これ／それ」などを表す代名詞と疑問詞

「これ／それ」などを表す代名詞の後ろには必ず名詞が接続されます。

A 「これ／それ」などを表す代名詞

이(この) + 것(もの) = 이것(これ)
_イ　　　　_{コッ}　　　　_{イゴッ}

그(その) + 것(もの) = 그것(それ)
_ク　　　　_{コッ}　　　　_{クゴッ}

＊相手が持っている物にたいして그것を使います。

저(あの) + 것(もの) = 저것(あれ)
_{チョ}　　　　_{コッ}　　　　_{チョゴッ}

＊相手が持っている物にたいして그것を使います。

어느(どの) + 것(もの) = 어느것(どれ)
_{オヌ}　　　　_{コッ}　　　　_{オヌゴッ}

이것이 핸드폰입니까? (これが携帯電話ですか？)
_{イゴシ　　ヘンドゥッポニムニッカ}

저것은 컴퓨터입니다. (あれはコンピュータです。)
_{チョゴスン　コムピュトイムニダ}

B 指示代名詞＋名詞

ものごとを示す指示代名詞に것(もの)以外の名詞が接続される場合をみてみましょう。

이 가방 ㊰イカバン（このかばん）　　**그 가방** ㊰クカバン（そのかばん）

저 가방 ㊰チョカバン（あのかばん）　　**어느 가방** ㊰オヌカバン（どのかばん）

저 사람이 누구입니까? ㊰チョ サラミ ヌグイムニッカ（あの人は誰ですか？）

이 사람은 회사 동료입니다. ㊰イ サラムン フェサ トンニョイムニダ（この人は会社の同僚です。）〔漢同僚〕

이 책이 얼마입니까? ㊰イ チェギ オルマイムニッカ（この本がいくらですか？）

어느 책이 만원입니까? ㊰オヌ チェギ マヌォニムニッカ（どの本が10000ウォンですか？）

C 疑問詞文「何ですか?」「いくらですか?」

韓国語は会話のときに助詞やパッチムを縮約することが多いので、気をつけましょう。

縮約していない文

これが何ですか？　　**이것이 무엇입니까?** ㊰イゴシ ムオシムニッカ

이것이を이게と縮約し、무엇のパッチムㅅを省略、뭐と縮約した形

これが何ですか？　　**이게 뭡니까?** ㊰イゲ ムォムニッカ

　　　　　　　　　　이게 뭐예요? ㊰イゲ ムォエヨ

会話のときはパッチムㅅを省略して使うこともできる

これいくらですか？　　**이거 얼마예요?** ㊰イゴ オルマエヨ

＊日常的に使われる親しみをこめた「です／ます調」(해요体)はSECTION3で学習します。

かんたん 10分 エクササイズ　DL 7

1 日本語を参考に、下線部に適切な言葉を入れましょう。

① _____이 얼마입니까?
<u>これ</u>がいくらですか？

② _____ 가방이 비쌉니까?
<u>その</u>カバンが高いですか？

③ _____이 서울타워입니다.
<u>あれ</u>がソウルタワーです。

④ _____이 무엇입니까?
<u>これ</u>が何ですか？

2 下線部に適切な言葉を入れましょう。

① 이름이 _____입니까?
名前が<u>何</u>ですか？

② 회사 앞에 _____이 있습니까?
会社の前に<u>何</u>がありますか？

③ _____가 있습니까?
<u>何</u>がありますか？

3 下線部に適切な言葉を入れましょう。

① _____이 영인 씨 노트북입니까?
どれがヨンインさんのノートパソコンですか？

② _____이 영인 씨 거 아닙니까?
これがヨンインさんのものじゃありませんか？

正解・解説

1 ① **이것**이 얼마입니까?
＊買い物などでよく使うフレーズですので覚えましょう。
日常的に使われる親しみをこめた「です／ます体」(해요体)では次のようにいいます。
□ 이거 얼마예요?

② **그 가방**이 비쌉니까? ＊事物指示代名詞の次には必ず名詞を接続します。

③ **저것**이 서울타워입니다.

④ **이것**이 무엇입니까?

2 ① **이름**이 **무엇**입니까? ＊무엇입니까?「何ですか？」疑問詞はそのまま暗記しましょう。

② **회사 앞**에 **무엇**이 있습니까?

③ **뭐**가 있습니까? ＊무엇「何」の縮約形です。

3 ① **어느 것**이 영인 씨 노트북입니까?
＊直訳すると「どのもの」という意味です。「ノートパソコン」のことは노트북(ノートブック)という外来語で表現します。

② **이것**이 영인 씨 거 아닙니까?
＊「私」などの人称代名詞や、「先生」や名前など人を呼ぶときの呼称の次に것をつなげると「(誰々)のもの」という意味です。会話ではパッチムを省略して거を使うことが多いので覚えておきましょう。

SECTION 1 チェック問題

1 次の単語を日本語訳にあわせて変えて、文を完成させましょう。

① **가다**
내일 _____?
明日行きますか？

② A：**있다** ・ B：**없다**
A：시간 _____?
B：아니요, 시간 _____.
A：時間ありますか？
B：いいえ、時間ありません。

③ **이다**
A：중국 사람입니까?
B：아니요, 한국 사람_____.
A：中国人ですか？
B：いいえ、韓国人です。

2 日本語訳を見ながら下線部を埋めましょう。

① A：저_____ 야스다 유카입니다.
B：우리들_____ 일본 사람입니다.
A：私は安田由香です。
B：私たちは日本人です。

② A：제욱 씨는 한국 사람입니까?
B：네, _____는 한국 사람입니다.
A：チェウゥさんは韓国人ですか？
B：はい、私は韓国人です。

③ A : 김은주 선생님은 ＿＿＿＿＿＿입니까?
　　B : 아니요, 은주 씨는 은행원＿＿＿＿＿＿.
　　A : キムウンジュ先生は医者ですか？
　　B : いいえ、ウンジュさんは銀行員です。

3 日本語訳を見ながら下線部に適切な言葉を入れましょう。

　　A : 소주＿＿＿＿＿＿하고
　　　　불고기＿＿＿＿＿＿ 주세요.
　　B : 김치 좀 더 주세요.
　　A : 焼酎2本とプルコギ2人前ください。
　　B : キムチもうちょっとください。

4 日本語訳を見ながら下線部を埋めましょう。

① A : 저기요. 지금 몇 시입니까?
　　B : 지금 ＿＿＿＿＿＿입니다.
　　A : すいません。今何時ですか？
　　B : 今、5時40分です。

② A : 십구일은 ＿＿＿＿＿＿입니까?
　　B : 십구일은 ＿＿＿＿＿＿입니다.
　　A : 19日は何曜日ですか？
　　B : 19日は月曜日です。

SECTION 1 チェック問題

5 日本語訳を見ながら下線部に適切な言葉を入れましょう。

① A : ＿＿＿＿＿＿ 회사가 있습니까?
　B : 삼성역 ＿＿＿＿＿＿에 있습니다.
　A : <u>どこに</u>会社がありますか？
　B : 三成駅<u>前</u>にあります。

② A : 회의실에 지태 씨가＿＿＿＿＿＿?
　B : 아니요, 없습니다.
　A : 会議<u>室</u>にジテさんが<u>いますか</u>？
　B : いいえ、いません。

6 日本語訳を見ながら下線部に適切な言葉を入れましょう。

① A : 이것이 무엇입니까?
　B : ＿＿＿＿＿＿ 핸드폰입니다.
　A : これが何ですか？
　B : <u>それは</u>携帯電話です。

② A : ＿＿＿＿＿＿ 바지가 얼마입니까?
　B : 이만 원입니다.
　A : <u>あの</u>ズボンがいくらですか？
　B : 2万ウォンです。

正解・解説

1
① 내일 갑니까?
　*합니다体の肯定文は -ㅂ니다／-습니다、疑問文は -ㅂ니까？／-습니까？です。

② A : 시간 있습니까?
　B : 아니요, 시간 없습니다.
　*存在詞「있다」「없다」「ある／いる」「ない／いない」は対で覚えましょう。

③ A : 중국 사람입니까?
　B : 아니요, 한국 사람입니다.

2
① A : 저는 야스다 유카입니다.
　B : 우리들은 일본 사람입니다.
　*韓国語のほとんどの助詞は2種類ずつあります。同じ「は」でも、名詞の最後の文字にパッチムがあるかどうかで接続する助詞が変わります。

② A : 제욱 씨는 한국 사람입니까?
　B : 네, 저는 한국 사람입니다.

③ A : 김은주 선생님은 의사입니까?
　B : 아니요, 은주 씨는 은행원입니다.

3
A : 소주 두 병하고 불고기 이인분 주세요. [漢焼酎]
B : 김치 좀 더 주세요.
　*固有数字하나／둘／셋／넷は、次に助数詞を接続するとそれぞれ한／두／세／네と形を変えます。
　「～人前」(～人分)には漢数字を使います。

4
① A : 저기요. 지금 몇 시입니까?
　B : 지금 다섯 시 사십 분입니다. [漢只今 (今)]

② A : 십구일은 무슨 요일입니까?
　B : 십구일은 월요일입니다.

SECTION 1 チェック問題　CD 33

5 ① A : 어디에 회사가 있습니까?
　　　B : 삼성역 앞에 있습니다.
　② A : 회의실에 지태 씨가 있습니까? [漢 会議室]
　　　B : 아니요, 없습니다.
　　　＊「いる」は存在詞있다を使います。

6 ① A : 이것이 무엇입니까?
　　　B : 그것은 핸드폰입니다.
　　　＊이것(これ)に対する答えは그것(それ)を用います。
　② A : 저 바지가 얼마입니까?
　　　B : 이만 원입니다.

文法編
SECTION 2

3つの活用パターンで日常会話ができるようになる

UNIT　8　　活用形って何？
UNIT　9　　「〜したい」「〜するつもり」の表し方を覚えよう
UNIT 10　　「〜で(して)…」「〜しない」の表し方を覚えよう
UNIT 11　　「〜ならば…」「〜だけど…」の表し方を覚えよう
UNIT 12　　「〜できる」「〜できない」の表し方を覚えよう
UNIT 13　　韓国語で避けてとおれない「尊敬表現」を覚えよう
UNIT 14　　普段使いの親しみある「〜です／〜ます」を覚えよう
UNIT 15　　過去形「〜しました」の表し方を覚えよう
UNIT 16　　「〜なので…」「〜してください」の表し方を覚えよう
SECTION 2　　チェック問題

UNIT 8 活用形って何？

A 活用って？

日本語では、**基本形（辞書形）「行く」に話し言葉の「～ます」（日本語では連用形）をつけると「行きます」となり、「く」の部分が「き」に変わります。このような変化のことを文法で活用**といいます。
活用形は、それらの変化の形を意味し、日本語では未然形、連用形、終止形、連体形、仮定形、命令形などの名称がついています。
韓国語も日本語と同様の活用形があり、それらの種類は基本的には3種類で、特殊な活用をする用言（SECTION 3）が8種類あります。

B 用言基本形のしくみ

活用の作り方を学ぶ前にまず、基本形のしくみを見てみましょう。
基本形の語尾は全て다で終わります。다の前の部分を語幹といい、活用するときは必ず語尾の다を取ります。基本的には다の直前の部分である語幹末を活用します。
＊르変格用言のように語幹全てが変化する変格活用用言もあります（172ページ参照）。

［語幹（語幹末）］語尾

나 가 다 （出る）

먹 다 （食べる）

> **わかるコト** ――活用形の種類としくみ
>
> 韓国語の活用形は第Ⅰ活用、第Ⅱ活用、第Ⅲ活用の3種類しかありませんので、規則的に活用することができます。

ここからは僕たちと学んでいこう♪

Ⅰくまくん　Ⅱくまくん　Ⅲくまちゃん

C 活用形は3種類

韓国語の活用形は基本的には3種類です。
3種類の活用形に文型をつなげることで様々な表現が可能となります。例えば第Ⅰ活用は、下表の希望の助動詞 -고 싶다（〜したい）のほかにも、-고（102㌻参照）や -겠-（96㌻参照）、-지만（109㌻参照）などの文型をつなぐことができ、「〜したい」「〜して…」「〜するつもり」「〜だけど…」といったことを言い表せるようになります。

基本形	第Ⅰ活用 ＋希望の助動詞 Ⅰ＋고 싶다	第Ⅱ活用 ＋仮定形 Ⅱ＋면	第Ⅲ活用 ＋親しみを込めた終結語尾 Ⅲ＋요
보다 見る	보＋고 싶다 見たい	보＋면 見れば	보아＋요 (봐요) 見て
먹다 食べる	먹＋고 싶다 食べたい	먹으＋면 食べれば	먹어＋요 食べて

D 活用形一覧表

活用の種類	基本形	語幹末をチェック	活用形
第Ⅰ活用	보다	―	보
	먹다		먹
第Ⅱ活用	보다	語幹末にパッチムなし	보
	먹다	語幹末にパッチムあり	먹으
第Ⅲ活用	받다	語幹末の母音が陽母音	받아
	먹다	語幹末の母音が陰母音	먹어

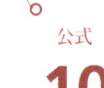

韓国語の文法公式を覚えよう　CD 34

公式 10　3つの活用の作り方

ここからは、第Ⅰ活用、第Ⅱ活用、第Ⅲ活用の作り方を学んでいきます。

A　第Ⅰ活用の作り方

第Ⅰ活用は、**基本形から語尾の다を取った形**です。

基本形　　　　活用形
보다（見る）　→　보
먹다（食べる）→　먹

B　第Ⅱ活用の作り方

第Ⅱ活用は、基本形から語尾の다を取り、**語幹末にパッチムがなければそのまま、語幹末にパッチムがあれば次に으を接続**します。

1 語幹末にパッチムがない用言は、基本形から다を取ります

오다（来る）　→　오

2 語幹末にパッチムがある用言は、基本形から다を取り、으を接続します

있다（ある）　→　있으

C　第Ⅲ活用の作り方

第Ⅲ活用は、基本形から語尾の다を取ってから、**語幹末の母音を確認**します。母音がㅏ／ㅑ／ㅗの3種類の**陽母音である場合は語幹に아を接続**し、それ以外の**陰母音である場合は語幹に어を接続**します。

1 語幹末が陽母音ㅏ／ㅑ／ㅗの用言は、語幹に아を接続します。

닫다（閉める）→　닫아
맞다（合う）　→　맞아

2 語幹末が陰母音の用言は、語幹に어を接続します。

먹다(食べる) → 먹어
믿다(信じる) → 믿어

3 語幹末にパッチムがなく、母音がㅏかㅓの用言を第Ⅲ活用すると、母音の同化現象が起こります。

가다(行く) → 가아(語幹末ㅏと第Ⅲ活用아が同化し1つが脱落)→ 가
서다(止まる) → 서어(語幹末ㅓと第Ⅲ活用어が同化し1つが脱落)→ 서

4 語幹末に아か어を接続すると縮約（合成母音化）できる用言は、縮約させます。

오다(来る) → 오아(ㅗとㅏが縮約し合成母音ㅘに変化) → 와
배우다(学ぶ) → 배우어(ㅜとㅓが縮約し合成母音ㅝに変化) → 배워
되다(なる) → 되어(ㅚとㅓが縮約し合成母音ㅙに変化) → 돼
기다리다(待つ) → 기다리어(ㅣとㅓが縮約し母音ㅕに変化) → 기다려

＊用言の中には随意的に「와／오아」「워／우어」「여／이어」どちらを用いても良いことになっているものもあります（以下はその例）。

ㅘ縮約形　□보다（見る）→보아／봐　　　□고다（煮込む）→고아／과
ㅝ縮約形　□주다（あげる／くれる）→주어／줘　□두다（置く）→두어／둬
ㅕ縮約形　□하시다（なさる）→하시어／하셔
ㅙ縮約形　□되다（なる）→되어／돼

5 第Ⅲ活用で特殊な変化をする하다用言は、活用後の形をそのまま暗記しましょう。

하다(する) → 해

UNIT 9 「〜したい」「〜するつもり」の表し方を覚えよう

CD 35

A 무엇을 하고 싶습니까?
　　ムオスル　ハゴ　シプスムニッカ
　　希望を表す［Ⅰ-고 싶다］

B 영화를 보고 싶습니다.
　　ヨンファルル　ポゴ　シプスムニダ
　　希望を表す［Ⅰ-고 싶다］

A 뭘 먹겠습니까?
　　ムォル　モッケッスムニッカ
　　意志や未来を表す［〈動詞Ⅰ〉-겠-］

B 닭갈비가 맛있겠습니다.
　　タッカルビガ　マシッケッスムニダ
　　推量を表す［〈存在詞Ⅰ〉-겠-］

韓国マメ知識　おかわり自由

韓国の食堂で突き出しにだされる □**김치** ⓐキムチ（キムチ）などの □**반찬** ⓐパンチャン（おかず）類はお代わり自由ですので、追加したいときは □**이거 좀 더 주세요.** ⓐイゴ チョム ト ジュセヨ（これもうちょっとください。）と伝えましょう。

> **わかるコト** ──「希望」と「意志・推量表現」(未来形)
> 「〜したい」という希望を表す表現と、「〜いたします／〜するつもり」などの意思・推量を勉強します。

A 何をしたいですか？

B 映画を見たいです。

A 何を食べますか？

B タッカルビが美味しそうです。

単語帳 CD 36

- 무엇을 (何を)
- 뭘 (何を＊무엇을の縮約形)
- 영화 (漢映画)
- 닭갈비 (タッカルビ)＊
- 보다 (見る)
- 먹다 (食べる)
- 맛있다 (美味しい)

＊確認！日本の韓国料理屋さんでは「ダッカルビ」と濁音で表記しています。

韓国語の文法公式を覚えよう

公式 11　希望を表す［第Ⅰ活用 - 고 싶다］

希望を表すときは、第Ⅰ活用に - 고 싶다を接続します。

基本形	〜したい	〜したいです。（話し言葉합니다体）
ポダ 보다 見る	→	ポゴ シプタ 보고 싶다 見たい	→	ポゴ シプスムニダ 보고 싶습니다. 見たいです。
モクタ 먹다 食べる	→	モッコ シプタ 먹고 싶다 食べたい	→	モッコ シプスムニダ 먹고 싶습니다. 食べたいです。
イクタ 읽다 読む	→	イルコ シプタ 읽고 싶다 読みたい	→	イルコ シプスムニッカ 읽고 싶습니까? 読みたいですか?
ペウダ 배우다 学ぶ	→	ペウゴ シプタ 배우고 싶다 学びたい	→	ペウゴ シプスムニッカ 배우고 싶습니까? 学びたいですか?

公式 12　意志・推量を表す未来形　［第Ⅰ活用 - 겠 -］

意志や推量を表すときは、第Ⅰ活用に接尾辞 - 겠 - を接続します。
＊接尾辞とは、「〜らしさ」「〜っぽい」など単独では使われず他の語の後ろにつく言葉です。

1 一人称＋〈動詞〉＋ - 겠 - ──意思を表す

チョヌン　オヌル　チベソ　　コンブハゲッスムニダ
저는 오늘 집에서 공부하겠습니다.
私は今日家で勉強をします（←するつもりです）。　공부（勉強）

UNIT 9

^{アホプ　シッカジ　ク　イルル　クンネゲッスムニダ}
아홉 시까지 그 일을 끝내겠습니다. ＊通常は9시とアラビア数字で表記します。
9時までにその仕事を終わらせます（←終わらせるつもりです）。

2 〈動詞〉＋‐겠‐ ──「～いたします」といった謙譲の意味を含む

^{チャル　モッケッスムニダ}
잘 먹겠습니다.
いただきます。

^{チェガ　ハゲッスムニダ}
제가 하겠습니다.
私がいたします。

3 〈動詞／形容詞／存在詞〉＋‐겠‐ ──推量・可能性の意味を表す

^{チョニョゲ　ピガ　オゲッスムニダ}
저녁에 비가 오겠습니다.
夕方に雨が降りそうです。

^{ヨンヒ　ッシヌン　コンブルル　チャラゲッスムニダ}
영희 씨는 공부를 잘 하겠습니다.
ヨンヒさんは勉強がよくできそう＊です。

^{ヒョンウン　パップゲッスムニダ}
형은 바쁘겠습니다.
お兄さんは忙しそうです。

^{キムパビ　マシッケッスムニダ}
김밥이 맛있겠습니다.
海苔巻きがおいしそうです。

＊「上手な」は日本語では形容詞ですが、韓国語の잘 하다は「上手にする／よくできる」という動詞です。
　□나카무라 씨는 한국말을 잘 합니다. ⓐ^{ナカムラ ッシヌン ハングンマルル チャ ラムニダ}
　　中村さんは韓国語が上手です。

かんたん 10分 エクササイズ DL 8

1 次の用言の基本形を [Ⅰ-고 싶다]に活用させ、**합니다**体の話し言葉で文を完成させましょう。

①보다
한국만화를 _____.
韓国の漫画を見たいです。

②듣다
음악을 _____.
音楽を聴きたいです。

③살다
서울에서 _____.
ソウルで暮らしたいです。

④유학가다
미국으로 _____.
アメリカに留学したい（行きたい）です。

2 次の用言の基本形を [Ⅰ-겠-]に活用させ、**합니다**体の話し言葉で文を完成させましょう。

①연락하다
오늘 저녁에 꼭 _____.
今晩必ず連絡します。

②가다
아버지는 내일 한국에 _____.
お父さんは明日韓国に行きます。

③ **맵다**
　떡볶이는 ＿＿＿＿＿＿＿＿＿＿＿＿＿＿＿＿＿＿．
　トッポギは辛そうです。

④ **내리다**
　오늘은 오후부터 비가 ＿＿＿＿＿＿＿＿＿＿＿＿＿．
　今日は午後から雨が降りそうです。

正解・解説

1 第Ⅰ活用は必ず用言の基本形から語尾の다を取ってから文型を接続します。

① <u>한국만화를</u> 보고 싶습니다. 〔漢 漫画〕
② <u>음악을</u> 듣고 싶습니다. 〔漢 音楽〕
③ <u>서울에서</u> 살고 싶습니다.
④ <u>미국으로</u> 유학가고 싶습니다. 〔漢 美国(アメリカ)〕〔漢 留学〕

2 ① 오늘 저녁에 꼭 <u>연락하겠습니다</u>. 〔漢 連絡〕
　※自分の意志を表す場合は「〜いたします」といった謙譲語の意味を含みます。

② 아버지는 내일 한국에 <u>가겠습니다</u>.
　※第三者に対する表現の場合は推量の意味合いが強くなります。

③ 떡볶이는 <u>맵겠습니다</u>.
　※Ⅰ-겠-は形容詞に接続された場合「〜そう」という推量の意味を持ちます。

④ 오늘은 오후부터 비가 <u>내리겠습니다</u>. 〔漢 午後〕
　※Ⅰ-겠-は動詞に接続された場合も「〜だろう」という推量の意味を持ちます。雨が「降る」という動詞には、口語的な오다と、詞的な내리다「降る」があります。どちらも使えます。

UNIT 10 「〜で（して）…」「〜しない」の表し方を覚えよう

CD 38

A 저는 냉면을 먹고 형은 비빔밥을 먹습니다.
　　　並列を表す［Ⅰ-고］

B 저 식당은 싸고 맛있습니다.
　　　並列を表す［Ⅰ-고］

A 왜 안 먹습니까?
　　　短形の否定形［안〈用言〉］

B 요즘 식욕이 없습니다.
　　　存在詞の否定形［없다］

A 몸이 아픕니까?

B 아니요, 괜찮습니다.

> **わかるコト** ──「並列」の連結語尾と「否定形」
> 2つ以上の文をつなげて並列を表す連結語尾と、「〜しない」という否定形を勉強します。

A 私は冷麺を食べて、

兄はピビンパを食べます。

B あの食堂は安くて、美味しいです。

A なぜ食べないのですか？

B 最近食欲がありません。

A 具合が悪いのですか？

B いいえ、大丈夫です。

単語帳 CD 39

- 싸다（安い）
- 식당（漢 食堂）
- 냉면（漢 冷麺）
- 비빔밥（ビビンパ／混ぜご飯）
- 왜（なぜ）
- 먹다（食べる）
- 몸이 아프다（具合が悪い）
- 괜찮다（大丈夫だ）

韓国語の文法公式を覚えよう　CD 40

公式 13　文をつなぐ [第Ⅰ活用 - 고]

AとBの2つの文を「AでBです」とつないで1つの文にする役割をするのが、連結語尾です。Aの文の用言の第Ⅰ活用に - 고を接続して、1つにつなぐことができます。これには、いくつかの機能があります。

1　2つ以上の事実を単純に羅列する場合

イゴスン　タルゴ　イゴスン　メプスムニダ
이것은 달고 이것은 맵습니다.
これは甘くて、これは辛いです。

2　2つ以上の事象が同時発生する場合

チョヌン　ハッキョエ　カゴ　オンニヌン　フェサエ　カムニダ
저는 학교에 가고 언니는 회사에 갑니다.
私は学校に行き、姉は会社に行きます。

3　先行する文の動作が完了した後に、後続の文の動作が継起的に発生する場合

アッチムル　モッコ　ハッキョエ　カムニダ
아침을 먹고 학교에 갑니다.
朝ご飯を食べて学校に行きます。

4　先行する文の動作が完了した後も、その状態が継続する場合（先行する用言は一部の動詞に限られる）

ピヘンギルル　タゴ　キョンジュエ　カムニダ
비행기를 타고 경주에 갑니다. 〔漢飛行機〕〔漢慶州〕
飛行機に乗って慶州に行きます。

公式 14　2つの否定形 [안 〈用言〉]　[第Ⅰ活用 - 지 않다]

否定形には短形否定文と長形否定文の2種類があります。短形否定文は、用言の前に안を接続した口語的かつ直接的な表現です。長形否定文は、第Ⅰ活用に - 지 않다を接続した文語的な表現です。

A 短形の否定形 [안 〈用言〉]

1 動詞

基本形	平叙文（합니다体）	否定文（합니다体）
イプタ **입다**（着る）	イプスムニダ **입습니다.**	アン ニプスムニダ **안 입습니다.**

2 漢字の熟語に하다を接続した하다動詞

하다動詞を短形で否定する場合は必ず하다の直前に안を入れます。

コンブハダ **공부하다**（勉強する）	コンブハムニダ **공부합니다.**	コンブ ア ナムニダ **공부 안 합니다.**

B 長形の否定形 [第Ⅰ活用 - 지 않다]

長形の否定文にする場合は [Ⅰ - 지 않다] を用います。

モクタ **먹다**（食べる）	モクスムニダ **먹습니다.**	モクチ アンスムニダ **먹지 않습니다.**
ヨリハダ **요리하다**（料理する）	ヨリハムニダ **요리합니다.**	ヨリハジ アンスムニダ **요리하지 않습니다.** [漢料理]

C 存在詞・指定詞の否定形

存在詞있다（ある／いる）の否定形は없다（ない／いない）を用います。

シガニ イッスムニダ　　　　　　　　シガニ オプスムニダ
시간이 있습니다.（時間があります。）　**시간이 없습니다.**（時間がありません。）

指定詞이다（〜だ）の否定形は아니다（〜でない）を用います。

ハングゲ キムチイムニダ　　　　　　　　ハングゲ キムチガ アニムニダ
한국의 김치입니다.（韓国のキムチです。）**한국의 김치가 아닙니다.**（韓国のキムチではありません。）

かんたん 10分 エクササイズ　DL 9

1 ［Ⅰ-고]を用いて2つの文を1つにつなげ、합니다体にして文を完成させましょう。

① **도쿄의 여름은 덥다　+　겨울은 춥다**

_____

東京の夏は暑く冬は寒いです。

② **오늘은 바람이 불다　+　비도 오다**

_____

今日は風が吹き雨も降ります（降っています）。

③ **책을 읽다　+　감상문을 쓰다**

_____

本を読んで感想文を書きます。

④ **저는 날마다 지하철을 타다　+　회사에 가다**

_____

私は毎日地下鉄に乗って会社に行きます。

2 Aの質問に対して、短形の否定形を使って합니다体で答えましょう。

① **A : 서울은 도쿄보다 물가가 비쌉니까?**
　　ソウルは東京よりも物価が高いですか？

　B : 아니요, 물가는 _____.
　　いいえ、物価は高くありません。

② **A : 내일 시간이 있습니까?**
　　明日時間がありますか？

　B : 아니요, 내일은 시간이 _____.
　　いいえ、明日は時間がありません。

UNIT 10

3 次の用言基本形を長形の否定形にし、합니다体で文を完成させましょう。

① **살다**
  저 집에는 아무도 _____.
  あの家には誰も住んでいません。

② **피우다**
  금연석에서는 담배를 _____.
  禁煙席ではタバコを吸いません。

正解・解説

1 ① 도쿄의 여름은 덥고 겨울은 춥습니다.
② 오늘은 바람이 불고 비도 옵니다.
　*「〜も」には体言＋도を用います。
③ 책을 읽고 감상문을 씁니다. [漢感想文]
　*「本を読んでから…」という意味になります。
④ 저는 날마다 지하철을 타고 회사에 갑니다. [漢地下鉄][漢会社]
　*「〜に乗って…に行く」という動作の場合は、必ず「乗る」の第Ⅰ活用に-고が接続されます。また、「〜に乗る」は「-를 / 을 타다」を用います。そのほかにも「〜に会う」なども「-를 / 을 만나다」と助詞には「-를 / 을 (〜を)」を用います。

2 ① A : 서울은 도쿄보다 물가가 비쌉니까? [漢物価]
　　B : 아니요, 물가는 안 비쌉니다.
② A : 내일 시간이 있습니까?
　　B : 아니요, 내일은 시간이 없습니다.

3 ① 저 집에는 아무도 살지 않습니다.
② 금연석에서는 담배를 피우지 않습니다. [漢禁煙席]

UNIT 11 「～ならば…」「～だけど…」の表し方を覚えよう

CD 41

A 보너스를 받으면 뭘 삽니까?
　　ボノスルル　　パドゥミョン　ムォル サムニッカ
　　　　　　　　仮定を表す［Ⅱ-면］

B 자동차를 사겠습니다.
　　チャドンチャルル　サゲッスムニダ

A 한국말이 어렵지 않습니까?
　　ハングンマリ　オリョプチ　アンスムニッカ

B 조금 어렵지만 재미있습니다.
　　チョグム　オリョプチマン　チェミイッスムニダ
　　　　　　逆接を表す［Ⅰ-지만］

韓国マメ知識

テイクアウト

屋台の食べ物をホテルに持ち帰って食べたいときは、□포장해 주세요.(ポジャンヘジュセヨ)(包んでください。)と伝えると、ビニール袋に包んでくれます。

> **わかるコト**
> ――「仮定形」と「逆接」
> 第Ⅱ活用を使った「〜れば／〜たら」などの仮定の表現と、第Ⅰ活用を使った「〜だが／〜けれど」などの逆接の表現を勉強します。

A　ボーナスを貰ったら何を買いますか？
B　車を買うつもりです。

―――――――――――――――――――――

A　韓国語が難しくありませんか？
B　ちょっと難しいけれど面白いです。

공주님이라면
（お姫様なら）

어떻게 할까요？
（どうするでしょうか？）

単語帳 CD 42

- □ 보너스（ボーナス）
- □ 받다（もらう）
- □ 사다（買う）
- □ 자동차（漢自動車）＊□차（漢車）のみの表現でも良い
- □ 어렵다（難しい）
- □ 재미있다（面白い）

韓国語の文法公式を覚えよう

公式 15 仮定「～れば／～たら」を表す ［第Ⅱ活用 - 면］

「A ならば B」と仮定の意味を表すときは先行文（A の文）の第Ⅱ活用に - 면を接続します。면の前の先行文（A の文）は現在形でも過去形（132㌻ 公式 23 参照）でもかまいません。

A 動詞・形容詞・存在詞 ［第Ⅱ活用 - 면］

1 動詞

붙다 ： 시험에 붙으면 여행을 가겠습니다.
シホメ　　プットゥミョン　ヨヘンウル　カゲッスムニダ

受かる　　試験に受かったら旅行に行きます。〔漢試験〕〔漢旅行〕

2 形容詞

나쁘다 ： 날씨가 나쁘면 드라이브하지 않습니다.
ナルッシガ　ナップミョン　ドゥライブハジ　アンスムニダ

悪い　　　天気が悪ければドライブしません。

3 存在詞

있다 ： 시간이 있으면 한국어를 공부합니다.
シガニ　　イッスミョン　ハングゴルル　コンブハムニダ

ある　　　時間があったら韓国語を勉強します。

B 指定詞 ［〈体言〉（이）라면］

指定詞이다（～だ）の仮定形の場合には -(이)라면といった特別な形が多く用いられます。선생님（先生）のように**体言の最後にパッチムがあれば** - 이라면を接続し、김치（キムチ）のように**体言の最後にパッチムがなければ** - 라면を接続します。

1 体言の最後にパッチムあり　　〈体言〉- 이라면

만원이라면 사겠습니다.（1万ウォンならば買います。）
マヌォニラミョン　サゲッスムニダ

2 体言の最後にパッチムなし　　〈体言〉- 라면

김치라면 냉장고 안에 있습니다.（キムチならば冷蔵庫の中にあります。）
キムチラミョン　ネンジャンゴ　アネ　イッスムニダ

UNIT 11

公式 16 | 逆接「～だけど」を表す [第Ⅰ活用-지만]

「A だけど B」と逆接で文をつなげるときには、A の文の第Ⅰ活用に -지만を接続します。A の文は現在形でも過去形（132ページ 公式 23 参照）でも活用は同じ［第Ⅰ活用 - 지만］です。

1 動詞

다니다 : 대주는 학교에 **다니지만** 열심히 공부하지 않습니다.
通う　　デジュは学校に通っているが熱心に勉強しません。

2 形容詞

맵다 : 김치는 **맵지만** 맛있습니다.
辛い　　キムチは辛いけれど美味しいです。

3 存在詞（있다／없다）

없다 : 돈이 **없지만** 외국에 가고 싶습니다.
ない　　お金がないけれど外国に行きたいです。〔漢 外国〕

4 指定詞（이다／아니다）

이/가 아니다 :
ではない

존 씨는 한국 사람이 아니지만 한국말을 잘 합니다.
ジョンさんは韓国人ではありませんが韓国語が上手です。

＊「한국어」は漢字語で「韓国語」、「한국말」は直訳すると「韓国の言葉」という意味です。

かんたん 10分 エクササイズ

1 次の2つの文を、仮定形［Ⅱ-면］を使って1つの文にしましょう。

①토요일에 시간이 있습니다.　+　뭘 합니까?

土曜日時間があったら何をしますか？

②일요일에 출근합니다.　+　월요일에 쉬겠습니다.

日曜日に出勤したら月曜日に休みます。

③야채를 먹습니다.　+　몸에 좋습니다.

野菜を食べると体に良いです。

2 下線部の基本形を逆接［Ⅰ-지만］を使って1つの文にしましょう。

①서울의 겨울은 <u>춥다</u>.　+　온돌이 있으면 따뜻합니다.

ソウルの冬は寒いけれどオンドル（床暖房）があれば暖かいです。

②비빔냉면은 <u>맵다</u>.　+　물냉면보다 맛있습니다.

ビビン冷麺は辛いけれど水冷麺より美味しいです。

③<u>한국 사람이다</u>.　+　김치를 싫어합니다.

韓国人ですがキムチが嫌いです。

第Ⅰ活用を使う
公式のページ右上には
僕がいるよ！

第Ⅲ活用は
私‼

第Ⅱ活用は
僕‼

正解・解説

1

① 토요일에 시간이 있으면 뭘 합니까?
　＊先行文の있습니다を基本形있다に戻してから第Ⅱ活用をします。있다は語幹末にパッチムがありますので語尾の다を取ってから으を接続し、その次に仮定形면を接続します。

② 일요일에 출근하면 월요일에 쉬겠습니다. 〔漢 出勤〕
　＊先行文の출근합니다を基本形출근하다に戻してから第Ⅱ活用をします。출근하다は語幹末にパッチムがありませんので語尾の다を取って仮定形を면接続します。

③ 야채를 먹으면 몸에 좋습니다. 〔漢 野菜〕

2

① 서울의 겨울은 춥지만 온돌이 있으면 따뜻합니다.
　〔漢 温突（オンドル／床暖房）〕
　＊逆接はⅠ-지만を接続します。

② 비빔냉면은 맵지만 물냉면보다 맛있습니다. 〔漢 冷麺〕
　＊보다(〜より)比較をするときに使う言葉です。

③ 한국 사람이지만 김치를 싫어합니다.
　＊体言の場合は、体言の後に必ず指定詞이다を接続してから活用をします。

UNIT 12 「～できる」「～できない」の表し方を覚えよう

CD 44

A 여기서 담배를 피울 수 있습니까?
<ruby>ヨギソ タムベルル ピウル ス イッスムニッカ</ruby>

可能表現 [Ⅱ-ㄹ 수 있다]

B 아니요, 피울 수 없습니다.
<ruby>アニョ ピウル ス オプスムニダ</ruby>

規則的な禁止を表す不可能表現 [Ⅱ-ㄹ 수 없다]

A 내일 같이 갈 수 있습니까?
<ruby>ネイル カッチ カル ス イッスムニッカ</ruby>

可能表現 [Ⅱ-ㄹ 수 있다]

B 미안하지만 못 갑니다.
<ruby>ミアナジマン モッ カムニダ</ruby>

口語的（断定的）な不可能表現 [못〈用言〉]

韓国マメ知識

食事のマナー

韓国ではお椀を手で持ち上げて食べてはいけません。また、年長者が食事を始めるまでは誰も箸をつけてはいけません。

> **わかるコト** ──「可能」と「不可能」
> 「〜することができる／〜することができない」などの可能・不可能表現を勉強します。

A ここでタバコを吸うことができますか？

B いいえ、吸うことはできません。

A 明日一緒に行けますか？

B 悪いけれど行けません。

単語帳 CD 45

- 담배 (タバコ)
- 피우다 (吸う)
- 미안하다 (すまない)

韓国語の文法公式を覚えよう

公式 17 可能形／不可能形 [第Ⅱ活用-ㄹ 수 있다/없다]

可能／不可能は第Ⅱ活用に-ㄹ 수 있다/없다を接続します。ただし、不可能はニュアンスによって異なる表現があります（公式18参照）。

A 可能形［第Ⅱ活用-ㄹ 수 있다］

可能形は、用言の第Ⅱ活用に-ㄹ 수 있다を接続します。

만나다(会う) → **만날 수 있다**(会うことができる)

カペエ　カミョン　チングルル　マンナル ス　イッスムニダ
카페에 가면 친구를 만날 수 있습니다.
カフェに行けば友達に会うことができます。

가다(行く) → **갈 수 있다**(行くことができる)

チョヌン　オンジェドゥンジ　カル ス　イッスムニダ
저는 언제든지 갈 수 있습니다.
私はいつでも行くことができます。

B 不可能形［第Ⅱ活用-ㄹ 수 없다］

能力的に不可能であることや、規則的な禁止事項などを表す不可能形は、［Ⅱ-ㄹ 수 없다］を用います。

찍다(撮る) → **찍을 수 없다**(撮ることができない)

パンムンジョメソヌン　サジヌル　ッチグル ス　オプスムニダ
판문점에서는 사진을 찍을 수 없습니다.
板門店では写真を撮ることはできません。〔漢板門店〕〔漢写真〕

읽다(読む) → **읽을 수 있다**(読むことができる)
쓰다(書く) → **쓸 수 없다**(書くことができない)

ハンチャヌン　イルグル ス　イッチマン　ッスル ス　オプスムニダ
한자는 읽을 수 있지만 쓸 수 없습니다.
漢字は読めますが、書くことはできません。〔漢漢字〕

UNIT 12

公式 18　不可能表現 [못〈用言〉] [第Ⅰ活用 - 지 못하다]

不可能形には他にも2つの表現があります。[Ⅱ - ㄹ 수 있다] が規則的な禁止事項に用いられるのに対して、こちらの2つの不可能形は**一般的な会話**でよく用いられます。

A　口語の不可能形 [못〈用言〉]

主体の意思とは逆に、外的な原因や能力の不足によってその行為自体起こりえない不可能形には、用言の前に못をつける口語的な表現が用いられます。

먹다(食べる)　→　**못 먹다**(食べられない)

チョヌン　スンデルル　モン　モクスムニダ
저는 순대를 못 먹습니다.
私はスンデ(韓国風腸詰)を食べられません。

하다(する)　→　**못 하다**(することができない)

オヌルド　スクチェルル　モッ　タムニダ
오늘도 숙제를 못 합니다.
今日も宿題をできません。〔園宿題〕
＊하다動詞の場合は하다の直前に못を接続しなければなりません。

B　丁寧な口語の不可能形 [第Ⅰ活用 - 지 못하다]

丁寧な不可能形には [Ⅰ - 지 못하다] を用いますが、Aの [못〈用言〉] との意味の使い分けはありません。

가다(行く)　→　**가지 못하다**(伺うことができない)

チェソンハジマン　ネイルド　カジ　モッ　タムニダ
죄송하지만 내일도 가지 못 합니다.
すみませんが明日も伺えません。
＊도(〜も)

115

かんたん 10分 エクササイズ DL 11

1 次の語を、日本語訳に従って可能［Ⅱ-ㄹ 수 있다］／不可能形［Ⅱ-ㄹ 수 없다］に直し、합니다体で文章を完成させましょう。

① **운전하다**
면허증이 없으면 _____.
免許証がなければ運転することはできません。

② **먹다**
저는 어렸을 때부터 회를 _____.
私は子供の頃から刺身を食べられません。

③ **끝내다**
죄송하지만 열 시까지는 일을 _____.
すみませんが、10時までには終えることができません。

④ **읽다**
남동생은 영어신문을 _____.
弟は英字新聞を読めます。

⑤ **만나다**
저는 내일이라면 미숙 씨를 _____.
私は明日ならばミスクさんに会うことができます。

⑥ **마시다**
A : 오늘은 같이 술을_____?
　　今日は一緒にお酒を飲めますか？
B : 아니요, 오늘은 _____.
　　いいえ、今日は飲めません。

UNIT 12

2 次の語を [못 〈用言〉] と [Ⅰ -지 못하다]の不可能形にし、합니다体で文を完成させましょう。

① 잘 합니다
우리 동생은 공부를 _____.
우리 동생은 공부를 _____.
私の弟は勉強がよくできません。

② 갑니다
2 시까지 _____.
2 시까지 _____.
２時までに行けません。

正解・解説

1 ① 면허증이 없으면 운전할 수 없습니다. [漢免許証] [漢運転]
  ＊「免許証がなければ（当然）運転することはできません。」といった、規則的な禁止事項なので [Ⅱ-ㄹ 수 없다]の文型を用います。

② 저는 어렸을 때부터 회를 먹을 수 없습니다.

③ 죄송하지만 열 시까지는 일을 끝낼 수 없습니다.
  ＊ [Ⅱ-ㄹ 수 없다]の文型は丁寧な否定にも用いられます。

④ 남동생은 영어신문을 읽을 수 있습니다.
  ＊可能表現には [Ⅱ-ㄹ 수 있다]を用います。

⑤ 저는 내일이라면 미숙 씨를 만날 수 있습니다.

⑥ A : 오늘은 같이 술을 마실 수 있습니까?
　　 B : 아니요, 오늘은 마실 수 없습니다.

2 口語では못がよく使われます。
① 우리 동생은 공부를 못 합니다.
　 우리 동생은 공부를 잘 못 합니다. [漢同生(弟)]
  ＊동생は弟妹どちらにも使え、남동생[弟漢男同生]여동생[妹漢女同生]と分けて使うこともできます。

① 2(두)시까지 못 갑니다.
　 2(두)시까지 가지 못 합니다.

UNIT 13 韓国語で避けてとおれない「尊敬表現」を覚えよう

CD 47

A 어디에 여행 가십니까?
　　オディエ　ヨヘン　カシムニッカ
　　　　　　　　尊敬を表す［Ⅱ-시-］

B 제주도에 여행 가겠습니다.
　　チェジュドエ　ヨヘン　カゲッスムニダ

A 지금 이 서류를 읽으시겠습니까?
　　チグム　イ　ソリュルル　イルグシゲッスムニッカ
　　　　　　　　尊敬を表す［Ⅱ-시-］＋意思・推量の未来形［Ⅰ-겠-］

B 네, 읽겠습니다.
　　ネ　イルケッスムニダ

韓国マメ知識　両親にも尊敬語

韓国では、他人に両親のことを話すときにも尊敬語を使います。上下関係がはっきりしていますので、身内であっても目上の人との会話には必ず尊敬語を使わないといけません。

> **わかるコト** ──まずはハムニダ体で尊敬表現をレッスン
>
> 上下関係がはっきりとしている韓国では目上の人には尊敬を表す表現が必須です。このUNITでは尊敬表現を勉強します。

A　どこに旅行に行かれますか？
B　済州島に旅行に行きます。

A　今、この書類をお読みになりますか？
B　はい、読みます。

単語帳 CD 48

- 어디에（どこに）
- 제주도（圞済州島）
- 지금（今／圞只今）
- 서류（圞書類）
- 여행가다（圞旅行（に）行く）
- 읽다（読む）

韓国語の文法公式を覚えよう　CD 49

公式 19　「～なさる」を表す尊敬形 [第Ⅱ活用-시-]

尊敬形は、第Ⅱ活用に尊敬の接尾辞 -시- を接続して作ります。

1 動詞　입다（着る）　→　입으시다（お召しになる）

ソルラレ　ハンボグル　イプシムニッカ
설날에 한복을 입으십니까?
正月に韓服をお召しになりますか？〔漢韓服〕

2 形容詞　바쁘다（忙しい）　→　바쁘시다（お忙しい）

ソンセンニムン　パップシムニダ
선생님은 바쁘십니다.
先生はお忙しいです。

3 存在詞　있다（ある）　→　있으시다（ござる）＊物や時間

オフエ　シガニ　イッスシムニッカ
오후에 시간이 있으십니까?
午後に時間がございますか？
＊人に対して使う時は있으시다ではなく계시다を使います（121ページ参照）。

4 指定詞　이다（～だ）　→　이시다（～でいらっしゃる）

パク　ソンセンニミシムニッカ
박 선생님이십니까?
朴先生でいらっしゃいますか？

公式 20　用言・助詞・体言の特別な尊敬形と謙譲語

用言によっては、形がすっかり変わってしまうものがあります。さらに、助詞にも特別な尊敬形を持つものがあります。それらとあわせて、謙譲語も覚えましょう。

UNIT 13

A 用言の特別な尊敬形

먹다(食べる) → 잡수시다(召し上がる)
들다(食べるの美語) → 드시다(召し上がる)
자다(寝る) → 주무시다(お休みになる)
있다(いる) → 계시다(いらっしゃる)
　＊없다（いない）の尊敬語は계시다を否定形にして表します。
말하다(言う) → 말씀하시다(おっしゃる)
죽다(死ぬ) → 돌아가시다(お亡くなりになる)

B 謙譲語

주다(あげる) → 드리다(差し上げる)
만나다(会う) → 뵙다(お目にかかる)

C 助詞の特別な尊敬形

-께서(〜が)　　-께서는(〜は)　　-께(〜に)　　-께서도(〜も)

D 体言の特別な尊敬形

사람(人) → 분(方)
이름(名前) → 성함(お名前 [漢]姓銜)
나이(歳) → 연세(御歳 [漢]年歳)
생일(誕生日 [漢]生日) → 생신(お誕生日 [漢]生辰)
집(家) → 댁(お家 [漢]宅)
식사([漢]食事) → 진지(お食事)

かんたん 10分 エクササイズ DL 12

1 次の語を [Ⅱ-시-] を使って尊敬形に直し、합니다体で文を完成させましょう。

① **모르다**
저 사람을 _____?
あの方をご存じないですか？

② **분이다**
기무라 선생님 어머님께서는 한국 _____?
木村先生のお母様は韓国の方ですか？

③ **받다**
박경모 씨의 집에 전화를 하면 항상 어머님이 전화를 _____.
パク・キョンモさんのお宅に電話をするといつもお母様が電話を取られます。

2 下線部の語や（ ）内の助詞を尊敬の表現に直し、합니다体で文を完成させましょう。

① **할머니(는) 식사를 먹습니까?**
_____
おばあさんはお食事を召し上がりますか？

② **선생님 집이 어디입니까?**
_____
先生のお宅はどちらですか？

③**사장님(은) 매일 아침 조깅을 합니다.**

社長は毎朝ジョギングをなさいます。

④**정 선생님(은) 항상 바쁩니다.**

鄭先生はいつもお忙しいです。

正解・解説

1
①저 사람을 모르십니까?
②기무라 선생님 어머님께서는 한국 분이십니까?

＊名詞を尊敬表現などにするときには必ず指定詞이다が必要になりますので、이다を尊敬の[Ⅱ-시-]で活用して이시다とします。

③박경모 씨의 집에 전화를 하면 항상 어머님이 전화를 받으십니다.

2
①할머니께서는 진지를 잡수십니까?

＊韓国語では助詞にも特別な尊敬形があります。-는(〜は) → -께서는

②선생님 댁이 어디십니까?

＊名詞にも特別な尊敬形があります。집(家) → 댁

③사장님께서는 매일 아침 조깅을 하십니다. 〔漢 毎日〕
④정 선생님께서는 항상 바쁘십니다.

UNIT 14 普段使いの親しみある「〜です／〜ます」を覚えよう

CD 50

A 미라_{ミラ} 씨는_{ッシヌン} 내일_{ネイル} 서울에_{ソウレ} <u>가요_{カヨ}</u>?

親しみをこめた語尾해요体［Ⅲ-요］

B 네_ネ, 내일_{ネイル} 서울에_{ソウレ} <u>가요_{カヨ}</u>.

親しみをこめた語尾해요体［Ⅲ-요］

A 레이코_{レイコ} 씨는_{ッシヌン} 언제_{オンジェ} 일본에_{イルボネ} <u>귀국하세요_{クィグクハセヨ}</u>?

尊敬表現［Ⅱ-시-］の해요体［Ⅲ-요］

B 저는_{チョヌン} 팔월에_{パロレ} 일본에_{イルボネ} <u>귀국해요_{クィグクケヨ}</u>.

親しみをこめた語尾해요体［Ⅲ-요］

韓国マメ知識

銭湯文化

韓国の人は基本的に自宅では浴槽に浸かりませんので、近所の□**목욕탕**⊜モギョクタン（銭湯［圜沐浴湯］）や□**한증막**⊜ハンジュンマヶ（韓国風サウナ［圜汗蒸幕］）、□**사우나**⊜サウナ（サウナ）、□**찜질방**⊜ッチムチルバン（スーパー銭湯）に通うのが大好きです。
垢すりも□**목욕탕**⊜モギョクタンに常駐している□**때밀이 아저씨/아줌마**⊜ッテミリ アジョッシ／アジュムマ（垢すりおじさん／おばさん）に□"**때 밀어주세요.**"⊜ッテ ミロジュセヨ（垢すってください。）と伝えれば別料金で気軽に体験できます。

> **わかるコト**
> ──「です／ます」調②해요ヘヨ体［第Ⅲ活用の文型］
> 一般的な会話で使われる親しみをこめた語尾である해요ヘヨ体を勉強します。합니다ハムニダ体よりも柔らかな印象があります。

A ミラさんは明日ソウルへ行かれますか？
B はい、明日ソウルに行きます。

A 麗子さんはいつ日本に帰国されますか？
B 私は8月に日本に帰国します。

単語帳 CD 51

- 내일 (明日)
- 언제 (いつ)
- 귀국하다 (韓帰国する)

補助単語

- 오늘 ヨオヌル (今日)
- 어제 ヨオジェ (昨日)
- 출발하다 ヨチュルバラダ (漢出発する)
- 도착하다 ヨトチャッカダ (漢到着する)

韓国語の文法公式を覚えよう　CD 52

公式 21　普段の会話でよく使う語尾
해요体［第Ⅲ活用-요］

「～です／～ます」調には、**格式体の「합니다体」**（44ページ参照）と**非格式体の「해요体」**の2通りがあります。ここでは、そのうちの해요体を勉強します。해요体は합니다体よりも**柔らかな印象を与え、一般的な会話に多く使われます**。

해요体の作り方

まず第Ⅲ活用をしてから、요を接続します。

基本形	第Ⅲ活形	해요体
닫다（閉める）	→ 닫아	→ 닫아요．（閉めます。）〔タダヨ〕
먹다（食べる）	→ 먹어	→ 먹어요．（食べます。）〔モゴヨ〕
가다（行く）	→ 가아 ⇒ 가（ㅏと아が同化）	→ 가요．（行きます。）〔カヨ〕
오다（来る）	→ 오아 ⇒ 와（ㅗと아は縮約して合成母音ㅘに変化）	→ 와요．（来ます。）〔ワヨ〕
배우다（学ぶ）	→ 배우어 ⇒ 배워（ㅜと어は縮約して合成母音ㅝに変化）	→ 배워요．（学びます。）〔ペウォヨ〕
되다（なる）	→ 되어 ⇒ 돼（ㅚと어は縮約して合成母音ㅙに変化）	→ 돼요．（なります。）〔テヨ〕
기다리다（待つ）	→ 기다리어 ⇒ 기다려（ㅣと어は縮約して母音ㅕに変化）	→ 기다려요．（待ちます。）〔キダリョヨ〕

UNIT 14

公式 22 | 特殊な해요体

하다用言、指定詞、尊敬の接尾辞は해요体にて特殊な変化をします。

A 하다用言 [해요]

하다 (する) → 해 *하아や아の同化ではなく、하다用言の第Ⅲ活用は해 → 해요. (します。)

B 指定詞이다 [〈体言〉 예요] [〈体言〉 이에요]

指定詞を해요体にする場合は、体言最後の文字のパッチムの有無で形が変わります。

1 体言の最後の文字にパッチムなし [〈体言〉 예요]

김치이다 (キムチだ) → 김치예요. (キムチです。) _{キムチエヨ}

2 体言の最後の文字にパッチムあり [〈体言〉 이에요]

냉면이다 (冷麺だ) → 냉면이에요. (冷麺です。) _{ネンミョニエヨ}

C 尊敬表現 [第Ⅱ活用 - 시 -] の해요体 [- 세요]

尊敬の [Ⅱ -시-] の해요体は、文末では一様に [-세요] となります。

하시다 (なさる) → 하세요. (なさいます。) _{ハセヨ}

D 疑問文

疑問文は平叙文と同じ活用をして、最後に？（クエスチョンマーク）をつけます。語尾だけ上げるのが発音のコツです。

해요? (しますか？) _{ヘヨ↗}   김치예요? (キムチですか？) _{キムチエヨ↗}   하세요? (なさいますか?) _{ハセヨ↗}

かんたん 10分 エクササイズ　DL 13

1 次の語を해요체［Ⅲ - 요］にして、文を完成させましょう。

① **주다**
아침마다 새한테 모이를 ＿＿＿＿＿＿＿＿＿＿．
毎朝鳥に餌をあげます。

② **공부하다**
목요일마다 한국말을＿＿＿＿＿＿＿＿＿＿．
毎週木曜日、韓国語を勉強します。

③ **오다**
장마철에는 날마다 비가 ＿＿＿＿＿＿＿＿＿＿．
梅雨のときには毎日雨が降ります。

④ **입다**
저는 날마다 정장을 ＿＿＿＿＿＿＿＿＿＿．
私は毎日スーツを着ます。

⑤ **보시다**
아침에 신문을 ＿＿＿＿＿＿＿＿＿＿？
朝新聞をご覧になりますか？

⑥ **이다**
제 이름은 박승일 ＿＿＿＿＿＿＿＿＿＿．
私の名前はパク・スンイルです。

UNIT 14

2 赤色の합니다体を해요体に直して、해요体の文を完成させましょう。

① 저는 날마다 아침 7시에 일어납니다.

_____.

私は毎日朝7時に起きます。

② 선생님은 언제 부산에 가십니까?

_____?

先生はいつプサンに行かれますか？

③ 우리 동생은 정말로 많이 먹습니다.

_____.

私の弟は本当にたくさん食べます。

正解・解説

1 ① 아침마다 새한테 모이를 줘요.
　＊주다は語幹末の母音が陰母音なので어を接続し、주어をさらに縮約させます。
② 목요일마다 한국말을 공부해요. [漢 木曜日]
　＊하다用言は하아요 / 하요ではなく해요と特殊な変化をします (하다のⅢ活用は해)。
③ 장마철에는 날마다 비가 와요.
　＊오다は語幹末の母音が陽母音ㅗなので아を接続し、さらに와と縮約させます。
④ 저는 날마다 정장을 입어요. [漢 正装 (スーツ)]
　＊입다の語幹末の母音は陰母音なので어が接続されます。
⑤ 아침에 신문을 보세요?
　＊尊敬表現 [Ⅱ-시-] の해요体は、文末では세요と変化します。
⑥ 제 이름은 박승일이에요.
　＊指定詞이다の해요体は、体言の最後の文字にパッチムがある場合は이에요となります。

2 ① 저는 날마다 아침 7시에 일어나요.
　＊基本形일어나다に戻してから해요体にしてみましょう。
② 선생님은 언제 부산에 가세요? [漢 釜山]
③ 우리 동생은 정말로 많이 먹어요.

UNIT 15 過去形「〜しました」の表し方を覚えよう

CD 53

A 아침 먹었어요?
（アッチム モゴッソヨ？）
過去形［Ⅲ-ㅆ］＋해요体

B 네, 집에서 먹고 왔어요.
（ネ, チベソ モッコ ワッソヨ）
過去形［Ⅲ-ㅆ］＋해요体

A 경혜 씨에게 연락했습니까?
（キョンヘ ッシエゲ ヨルラケッスムニッカ）
過去形［Ⅲ-ㅆ］＋합니다体

B 네, 아침에 전화했습니다.
（ネ アッチメ チョナヘッスムニダ）
過去形［Ⅲ-ㅆ］＋합니다体

A 신 선생님은 언제 부산에 가셨습니까?
（シン ソンセンニムン オンジェ プサネ カショッスムニッカ）
尊敬の過去形＋합니다体

B 어제 서울을 떠나셨어요.
（オジェ ソウルル ットナショッソヨ）
해요体の尊敬の過去形［Ⅱ-셨어요］

> **わかるコト** ──ハムニダ体・ヘヨ体の過去形・尊敬表現の過去形と過去完了・大過去
>
> このUNITでは、「〜した」という過去形と、「〜なさった」という尊敬の過去形を勉強します。

A 朝ごはん食べましたか？
B はい、家で食べてきました。

A キョンヘさんに連絡しましたか？
B はい、朝電話しました。

A シン先生はいつプサンに行かれましたか？
B 昨日ソウルをお発ちになりました。

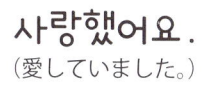

사랑했어요．
（愛していました。）

単語帳 CD 54

- 아침 (朝ごはん)
- 언제 (いつ)
- 떠나다 (発つ)
- 서울 (ソウル)
- 부산 (プサン)

補助単語

- 점심 ヨチョムシム (昼ごはん〔漢点心〕)
- 간식 ヨカンシク (おやつ〔漢間食〕)
- 저녁 ヨチョニョク (晩御飯)
- 야식 ヨヤシク (漢夜食)

公式 23 過去形 [第Ⅲ活用 - ㅆ]

過去形は第Ⅲ活用にㅆを接続します。

A 합니다体の過去形

1 動詞・形容詞・存在詞

^{タッタ}
닫다 (閉める) → ^{タダッスムニダ}닫았습니다. (閉めました。)

^{モクタ}
먹다 (食べる) → ^{モゴッスムニダ}먹었습니다. (食べました。)

^{イッタ}
있다 (ある) → ^{イッソッスムニダ}있었습니다. (ありました。)

2 指定詞

指定詞の場合は、体言の最後の文字に**パッチムがあるときは**-이었습니다、**ないときは**-였습니다というように形が変わります。指定詞の**否定形は**-이/가 아니었습니다となります。

【体言の最後にパッチムなし】

^{イヨンミン ッシイダ}
이영민 씨이다 → ^{イヨンミン ッシヨッスムニダ}이영민 씨였습니다.
イ・ヨンミンさんである　　イ・ヨンミンさんでした。

^{イヨンミン ッシガ アニダ}
이영민 씨가 아니다 → ^{イヨンミン ッシガ アニオッスムニダ}이영민 씨가 아니었습니다.
イ・ヨンミンさんではない　　イ・ヨンミンさんではなかった。

【体言の最後にパッチムあり】

^{ソンセンニミダ}
선생님이다 → ^{ソンセンニミオッスムニダ}선생님이었습니다.
先生である　　先生でした。

^{ソンセンニミ アニダ}
선생님이 아니다 → ^{ソンセンニミ アニオッスムニダ}선생님이 아니었습니다.
先生ではない　　先生ではありませんでした。

UNIT 15

B 해요体の過去形

過去形の해요体は、一様に [Ⅲ - ㅆ어요]です。Ⅲ - ㅆ아요にはなりません。

닫다（閉める）　→　닫았어요．(閉めました。)
タッタ　　　　　　　　タダッソヨ

C 尊敬の過去形

1 합니다体

尊敬の過去形の합니다体は、一様に [Ⅱ - 셨습니다]です。

닫다　→　닫으시다　→　닫으셨습니다．
タッタ　　　タドゥシダ　　　タドゥショッスムニダ
閉める　　　尊敬形 [Ⅱ-시-]　お閉めになりました。

2 해요体

尊敬語の過去形の해요体は、一様に [Ⅱ - 셨어요] (Ⅱ - 시었어요も可)です。

닫다　→　닫으시다　→　닫으셨어요．
タッタ　　　タドゥシダ　　　タドゥショッソヨ
閉める　　　尊敬形 [Ⅱ-시-]　お閉めになりました。

D 過去完了

ある出来事がずいぶん前に起こり、今はその結果が残っていないときや、過去の経験を表すときには、[Ⅲ - ㅆ었습니다] [Ⅲ - ㅆ었어요]と二重になった過去形を用います。

이 선생님이 어제 우리집에 왔었어요．
イ　ソンセンニミ　オジェ　ウリチベ　　ワッソッソヨ

李先生が昨日うちに来ていました。

그 사람은 영국에 유학했었어요．
ク　サラムン　ヨングゲ　ユハッケッソッソヨ

その人はイギリスに留学していました。[漢英国]

133

かんたん 10分 エクササイズ　DL 14

1 次の用言を（　）内の体の過去形に直し、文を完成させましょう。

① **하다**（해요体）
　아침까지 친구하고 이야기를 ＿＿＿＿＿＿＿＿＿＿．
　朝まで友達と話をしました。

② **있다**（해요体）
　영희 씨는 일요일까지 우리집에＿＿＿＿＿＿＿＿＿．
　ヨンヒさんは日曜まで私の家にいました。

③ **사다**（합니다体）
　어제 백화점에서 양복을 ＿＿＿＿＿＿＿＿＿＿．
　昨日百貨店でスーツを買いました。

④ **먹어보다**（합니다体）
　동대문시장에서 닭한마리를 ＿＿＿＿＿＿＿＿＿＿？
　東大門市場でタッカンマリを食べてみましたか？

2 次の用言を尊敬の過去形に直し、합니다体にして文を完成させましょう。

① **읽다**
　아침 신문을 ＿＿＿＿＿＿＿＿＿＿？
　今朝の新聞をお読みになりましたか？

② **하다**
　선생님은 아침까지 일을 ＿＿＿＿＿＿＿＿＿＿．
　先生は朝までお仕事をなさいました。

134

3 次の用言を尊敬の過去形に直し、해요체して文を完成させましょう。

① **전화하다**
정희진 씨에게 _____?
チョン・ヒジンさんに電話なさいましたか？

② **있다**
사장님께서 연락이 _____?
社長からご連絡がございましたか？

正解・解説

1 ① 아침까지 친구하고 이야기를 **했어요**.
＊第Ⅲ活用해に過去形Ⅲ - ㅆ어요を接続させます。

② 영희 씨는 일요일까지 우리집에 **있었어요**.
＊있다の語幹末は陰母音なので어を接続し、更に過去形Ⅲ - ㅆ어요を接続します。

③ 어제 백화점에서 양복을 **샀습니다**. [圓百貨店] [圓洋服（スーツ）]
＊第Ⅲ活用사に過去形Ⅲ - ㅆ어요を接続させます。사다をⅢ活用するとㅏが接続されますが同じ母音が重なるので사아とはならず사と縮約されます。

④ 동대문시장에서 닭한마리를 **먹어봤습니까**? [圓東大門市場]
＊먹어보다（食べてみる）は먹다（食べる）に「〜（し）てみる」[Ⅲ – 보다]を接続した挑戦や確認を表す合成　語です。닭한마리は直訳すると「鶏一匹」

2 ① 아침 신문을 **읽으셨습니까**?
＊尊敬の過去形（합니다体）は、一様に [Ⅱ - 셨습니다] です。[Ⅱ - 셨습니까?] は、その疑問形。

② 선생님은 아침까지 일을 **하셨습니다**.

3 ① 정희진 씨에게 **전화하셨어요**?
＊尊敬の過去形（해요体）は、一様に [Ⅱ - 셨어요] です。

② 사장님께서 연락이 **있으셨어요**? [圓社長]

UNIT 16 「～なので…」「～してください」の表し方を覚えよう

CD 56

A 왜 어제 회사에 안 오셨어요?
<small>ウェ オジェ フェサエ ア ノショッソヨ</small>

B 감기에 걸려서 못 왔어요.
<small>カムギエ コルリョソ モダッソヨ</small>
　　　　　理由を表す [Ⅲ-서]

A 병원에는 가셨어요?
<small>ピョンウォネヌン カショッソヨ</small>

B 못 갔어요.
<small>モッ カッソヨ</small>

A 병원에 가서 진찰 받으세요.
<small>ピョンウォネ カソ チンチャル パドゥセヨ</small>
　　　　先行動作を　　　丁寧な命令形 [Ⅱ-세요]
　　　　表す [Ⅲ-서]

> **わかるコト** ──理由・原因・結果や先行動作の表現と丁寧な命令形
> 理由または先行動作を表す［第Ⅲ活用-서］を勉強します。

A なぜ昨日会社にいらっしゃらなかったんですか？
B 風邪にかかって来られませんでした。
A 病院には行かれましたか？
B 行けませんでした。
A 病院に行って診察をお受けください。

単語帳 CD 57

- 왜（なぜ）
- 어제（昨日）
- 감기에 걸리다（風邪にかかる）
- 병원（漢病院）
- 진찰을 받다（漢診察を受ける）
- Ⅱ-세요 / Ⅱ-십시오
  （してください＊尊敬命令）

補助単語

- 감기가 들다 ヨカムギガ トゥルダ
  （風邪を引く）

韓国語の文法公式を覚えよう

CD 58

公式 24 理由・先行動作を表す［第Ⅲ活用-서］

理由・先行動作を表すときは第Ⅲ活用に連結語尾서を接続します。

A 理由を表す場合

先行する文（A）が後続する文（B）の理由や原因となり「Aして（なので）Bです」のように用いられます。Aの活用形は［Ⅲ-서］です。Aでは［Ⅲ-ㅆ］（過去形）や［Ⅰ-겠-］（未来形）の後に［Ⅲ-서］を接続することはできず、**後続文（B）で過去や現在の時制を表します**。

1 動詞・形容詞・存在詞

고장나다 スマトゥポニ コジャンナソ ヨルラッカル ス オプスムニダ
故障する **스마트폰이 고장나서 연락할 수 없습니다.**
スマホが壊れて連絡できません。［漢故障］

비싸다 ノム ピッサソ モッ サムニダ
（値段が）高い **너무 비싸서 못 삽니다.**
高すぎて買えません。

열이 있다 ヨリ イッソソ ハッキョルル シゲッスムニダ
熱がある **열이 있어서 학교를 쉬겠습니다.**
熱があるので学校を休みます。［漢熱］

2 指定詞（이）라서

指定詞の場合は「〜なので」の意味が強くなります。**パッチムがない体言の場合이が省略され라서を接続し、パッチムがある体言の場合이라서を接続します**。

친구이다 ドンヨンウン チングラソ チャジュ マンナムニダ
友人だ **동용은 친구라서 자주 만납니다.**
ドンヨンは友人なのでしょっちゅう会います。

B 先行動作

先行する文（A）の動作（用言は動詞に限定されます）に、後続の文（B）を接続する場合に使われます。

회사에 가다
会社に行く

이번 주 토요일에는 회사에 가서 일을 합니다.
イボン チュ トヨイレヌン　フェサエ　カソ　イルル　ハムニダ
今週土曜日は会社に行って仕事をします。〔漢週〕〔漢土曜日〕

들어가다
入る

교실에 들어가서 공부를 합니다.
キョシレ　トゥロカソ　コンブルル　ハムニダ
教室に入って勉強をします。〔漢教室〕

만나다
会う

오늘 오후에 김 선생님을 만나서 이야기를 합니다.
オヌル オフエ　キム ソンセンニムル　マンナソ　イヤギルル　ハムニダ
今日の午後キム先生に会って話をします。

＊「〜に会う」というときの動詞만나다（会う）は、助詞に - 를／- 을を使います。

公式 25 | 丁寧な命令形 ［第Ⅱ活用 - 십시오 / - 세요］

目上に対する丁寧な命令形「〜してください／〜なさいませ」は、합니다体では［Ⅱ - 십시오］、해요体では［Ⅱ - 세요］を使います。

基本形	합니다体の命令形	해요体の命令形
기다리다 待つ	**기다리십시오.** キダリシプシオ お待ちください。	**기다리세요.** キダリセヨ お待ちください。
책을 읽다 本を読む	**책을 읽으십시오.** チェグル イルグシプシオ 本をお読みください。	**책을 읽으세요.** チェグル イルグセヨ 本をお読みください。

かんたん 10分 エクササイズ　DL 15

1 次の用言を［Ⅲ-서］で活用し、文を完成させましょう。

① **많다**
　일이 ＿＿＿＿＿＿＿＿ 바쁩니다.
　仕事が多くて忙しいです。

② **늦다**
　약속시간에 ＿＿＿＿＿＿＿＿ 죄송합니다.
　約束時間に遅れてすみません。

③ **만나다**
　선생님을 ＿＿＿＿＿＿＿＿ 의논했습니다.
　先生に会って相談しました。

④ **한가하다**
　너무 ＿＿＿＿＿＿＿＿ 죽겠어요.
　あまりにも暇で死にそうです。

⑤ **마시다**
　술을 많이 ＿＿＿＿＿＿＿＿ 운전할 수 없어요.
　お酒をたくさん飲んだので運転することができません。

⑥ **없다**
　시간이 ＿＿＿＿＿＿＿＿ 숙제를 못 했어요.
　時間がなくて宿題をできませんでした。

⑦ **오다**
　박신영 씨는 아침에 여기에 ＿＿＿＿＿＿＿＿
　이 서류를 두고 갔어요.
　パクシニョンさんは朝ここにきて、この書類を置いて行きました。

⑧**잊다**
약속을 깜박 _____ 못 갔어요.
約束をうっかり忘れて行けませんでした。

2 下線の語を（ ）の形に直して尊敬命令の文を作りましょう。

①**이 의자에 앉다**(Ⅱ-십시오)

_____

この椅子にお座りください。

②**내일까지 꼭 신청하다**(Ⅱ-세요)

_____

明日までに必ず申し込みをしてください。

正解・解説

1 ①**일이 많아서 바쁩니다.**
＊「仕事が多いので」といった理由を表します。

②**약속시간에 늦어서 죄송합니다.**
＊「遅れてすいません。」の文は頻繁に使われる表現ですので暗記しましょう。

③**선생님을 만나서 의논했습니다.** 〔漢議論（相談）〕
＊この場合のⅢ-서は「会って相談する」という先行動作を表します。

④**너무 한가해서 죽겠어요.**
＊Ⅲ-서 죽겠다「～(なので)て死にそう」という表現は会話でしばしば用いられます。

⑤**술을 많이 마셔서 운전할 수 없어요.**
⑥**시간이 없어서 숙제를 못 했어요.** 〔漢宿題〕
⑦**박신영 씨는 아침에 여기에 와서 이 서류를 두고 갔어요.** 〔漢書類〕
⑧**약속을 깜박 잊어서 못 갔어요.** 〔漢約束〕

2 ①**이 의자에 앉으십시오.** 〔漢椅子〕
②**내일까지 꼭 신청하세요.** 〔漢申請〕

SECTION 2 チェック問題

1 次の用言の基本形を（　）の指示通りに直し、文を完成させましょう。

① **만나다** ([Ⅰ-고 싶다] + 합니다体の疑問形)
지금도 그 사람을 ＿＿＿＿＿＿＿＿＿＿？
今もその人に会いたいですか？

② **놀다** (Ⅰ-고)
아이들은 많이 ＿＿＿＿＿＿＿＿＿ 많이 잡니다.
子供はたくさん遊んで、たくさん眠ります。

③ **하다** ([Ⅰ-겠-] + 합니다体)
지금부터 박 선생님께 전화를 ＿＿＿＿＿＿＿＿＿.
これから朴先生に電話をいたします。

2 次の用言の基本形を（　）の指示通りに直し、文を完成させましょう。

① **가다** (Ⅱ-면)
서울에 ＿＿＿＿＿＿＿＿＿ 먼저 동대문시장에 가고 싶습니다.
ソウルに行ったらまず東大門市場に行きたいです。

② a : **바쁘다** ([Ⅱ-시-] + 합니다体)
b : **없다** (안 + 〈特別な尊敬形〉 + 합니다体)
아버지께서는 항상 a)＿＿＿＿＿＿＿＿＿.
일요일에도 집에 b)＿＿＿＿＿＿＿＿＿.
お父さんはいつもお忙しいです。
日曜日も家にいらっしゃいません。

③ **이다** (Ⅱ-시-+합니다体)
저 분을 알고 계십니까?
사장님의 어머님_____.

あの方をご存知ですか？　社長のお母様でございます。

3 次の用言を（　）内の形にして、해요体で文を完成させましょう。

① A : **가다** (疑問形)　　B : **가다** (I-고 싶다)
A : 같이 _____?
B : 네, 같이 _____.

A：一緒に行きますか？
B：はい、一緒に行きたいです。

② A : **읽어주다** (Ⅱ-세요)
B : **설명서이다** (疑問形)
A : 이것을 _____.
B : 이것은 _____?

A：これをお読みください。
B：これは説明書ですか？

③ A : **보다** (Ⅱ-셨어요)　B : **돌아가다** (Ⅱ-셨어요)
A : 아침에 신문을 _____?
B : 네, 정 사장님께서 _____.

A：朝、新聞をご覧になりましたか？
B：はい、鄭社長がお亡くなりになられました。

SECTION 2 チェック問題

4 次の用言を（ ）の文型に直し、합니다体で文を完成させましょう。

① 씁니다 (A：안〈用言〉／ B：Ⅰ-지 않다)
  A : 한국의 어학당에서는 일본어를 ＿＿＿＿＿＿.
  B : 한국의 어학당에서는 일본어를 ＿＿＿＿＿＿.
  韓国の語学堂では日本語を使いません。

② Aa : 좋아합니다 (Ⅰ-지만) ／ b : 마십니다 (안〈用言〉)
  Ba : 좋아합니다 (Ⅰ-지만) ／ b : 마십니다 (Ⅰ-지 않다)
  A : 저는 술을 a)＿＿＿＿＿＿ 많이는
      b)＿＿＿＿＿＿.
  B : 저는 술을 a)＿＿＿＿＿＿ 많이는
      b)＿＿＿＿＿＿.
  私はお酒が好きですがたくさんは飲みません。

③ 드렸습니다 (Ⅰ-지만)
  전에 이 선생님께 전화를 ＿＿＿＿＿＿
  안 계셨습니다.
  先日李先生にお電話差し上げましたがいらっしゃいませんでした。

5 次の用言を（ ）の文型に直し、文を完成させましょう。

① 삽니다 (Ⅲ-서)
  그림책을 ＿＿＿＿＿＿
  여조카에게 주었습니다.
  絵本を買って姪にあげました。

② **해결했습니다** ([Ⅱ-ㄹ 수 없다]+합니다体)
　協의를 했지만 _____.
　打ち合わせをしましたが解決できませんでした。

③ **먹었습니다** ([Ⅱ-ㄹ 수 없다]+합니다体)
　너무 달아서 _____.
　甘すぎて食べられませんでした。

正解・解説

1
① 지금도 그 사람을 만나고 싶습니까?
② 아이들은 많이 놀고 많이 잡니다.
　＊「遊ぶ」動作と「寝る」動作を並列でつなげる場合は[Ⅰ-고]を用います。
③ 지금부터 박 선생님께 전화를 하겠습니다.
　＊動詞に[Ⅰ-겠-]を接続する場合は、意志や謙遜を表します。

2
① 서울에 가면 먼저 동대문시장에 가고 싶습니다. 〔漢東大門市場〕
② 아버지께서는 항상 a)바쁘십니다.
　일요일에도 집에 b)안 계십니다.
　＊尊敬は[Ⅱ-시-]で表します。없다(いない)の尊敬語は계시다(いらっしゃる)を안で否定して안 계시다(いらっしゃらない)を使います。
③ 저 분을 알고 계십니까? 사장님의 어머님이십니다.
　＊指定詞이다(～だ)を尊敬[Ⅱ-시-]で活用し、이시다(～でいらっしゃる)に直します。

SECTION 2 チェック問題 CD 59

3
① A : 같이 가요?
　 B : 네, 같이 가고 싶어요.
② A : 이것을 읽어주세요.
　 B : 이것은 설명서예요? [漢説明書]
　　＊文末において尊敬の[Ⅱ-시-]は、해요体では[Ⅱ-세요]となります。指定詞이다の해요体は体言の最後の文字にパッチムがない場合は-예요、パッチムがある場合は-이에요を用います。
③ A : 아침에 신문을 보셨어요?
　 B : 네, 정 사장님께서 돌아가셨어요.
　　＊過去形の해요体は全て[Ⅲ-ㅆ어요]です。特別な尊敬形の助詞と用言に気をつけましょう。

4
① A : 한국의 어학당에서는 일본어를 안 씁니다. [漢語学堂（語学学校）]
　 B : 한국의 어학당에서는 일본어를 쓰지 않습니다.
　　＊안は口語的で直接的な否定形で[Ⅰ-지 않다]は文語的で丁寧なニュアンスの否定形です。
② A : 저는 술을 a)좋아하지만 많이는 b)안 마십니다.
　 B : 저는 술을 a)좋아하지만 많이는 b)마시지 않습니다.
③ 전에 이 선생님께 전화를 드렸지만 안 계셨습니다.
　　＊時制(過去)の活用は必ず文末にて行われますので[Ⅰ-지 않습니다]の過去形は[Ⅰ-지 않았습니다]です。

5
① 그림책을 사서 여조카에게 주었습니다.
　　＊「買って(から)あげる」のような先行動作を表す「～(し)て」は[Ⅲ-서]です。
② 협의를 했지만 해결할 수 없었습니다. [漢協議] [漢解決]
　　＊不可能表現[Ⅱ-ㄹ 수 없다]の過去形は、[Ⅱ-ㄹ 수 없었다]です。
③ 너무 달아서 먹을 수 없었습니다.

文法編
SECTION 3

不規則な活用形をマスターしよう

UNIT 17	不規則な活用形とは？
UNIT 18	特殊語幹①ㄹ語幹を覚えよう
UNIT 19	特殊語幹②ー語幹を覚えよう
UNIT 20	変格用言①ㄷ変格用言の活用を覚えよう
UNIT 21	変格用言②ㅅ変格用言の活用を覚えよう
UNIT 22	変格用言③ㅂ変格用言の活用を覚えよう
UNIT 23	変格用言④르変格用言と러変格用言の活用を覚えよう
UNIT 24	変格用言⑤ㅎ変格用言の活用を覚えよう
SECTION 3	チェック問題

UNIT 17 不規則な活用形とは？

A 特殊語幹と変格活用

SECTION 2では、3種類の活用形を用いれば、全ての用言の活用が可能であり、活用するときに用言の語幹自体は変化しませんでした。

しかし、基本形の語幹末の形が同じでも、これまで通り規則的な活用をする**正格用言**と、不規則な活用をする**変格用言**がありますので、注意しなくてはなりません。まずは、例を見てみましょう。

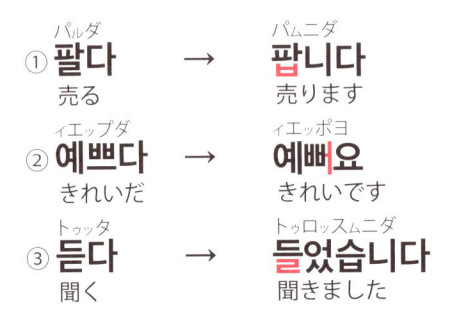

① パルダ　　　　　パムニダ
   팔다　→　팝니다
   売る　　　売ります

② ィエップダ　　　ィエッポヨ
   예쁘다　→　예뻐요
   きれいだ　　きれいです

③ トゥッタ　　　　トゥロッスムニダ
   듣다　→　들었습니다
   聞く　　　聞きました

①では、語幹末팔にあるはずのパッチムㄹがなくなっています。
②では、語幹末쁘の母音の形が ㅡ から ㅓ へ変化しています。
③では、語幹末듣のパッチムㄷの形がㄷからㄹへ変化しています。
このように、韓国語には活用の際に語幹末の形自体が変化して不規則な活用をする**特殊語幹用言が2種類、変格活用用言が6種類**あります。

B 特殊語幹の用言2種類

ㄹ**語幹**　　語幹末にㄹを持つ**全ての**動詞・形容詞
ㅡ**語幹**　　語幹末にㅡを持つ**一部の**動詞・形容詞

> **わかるコト** ──特殊語幹用言と変格活用用言
>
> SECTION 3 では不規則な活用をする特殊語幹と、変格活用を覚えましょう。
> 特殊語幹用言は 2 種類、変格活用用言は 6 種類あります。これらを覚えれば、間違いのない活用ができるようになります。

C 変格活用用言6種類

ㄷ変格　語幹末にㄷを持つ一部の動詞・形容詞
ㅅ変格　語幹末にㅅを持つ一部の動詞・形容詞
ㅂ変格　語幹末にㅂを持つ一部の動詞・形容詞
르変格　語幹末に르を持つ一部の用言（一部は―語幹）
러変格　語幹末に러を持つ一部の動詞・形容詞
ㅎ変格　語幹末にㅎを持つ一部の形容詞

D 活用一覧表

特殊語幹と変格活用の活用一覧表

1 特殊語幹

特殊語幹の種類	用言	第Ⅰ活用	第Ⅱ活用（例：Ⅱ-면）	第Ⅲ活用（例：Ⅲ-요）	その他
ㄹ語幹	팔다	팔	팔 (팔면)	팔아 (팔아요)	팝니다　파십니다 팔 수 있다　파니까
―語幹	고프다 예쁘다	고프 예쁘	고프 (고프면) 예쁘 (예쁘면)	고파 (고파요) 예뻐 (예뻐요)	

2 変格活用

変格の種類	用言	第Ⅰ活用	第Ⅱ活用（例：Ⅱ-면）	第Ⅲ活用（例：Ⅲ-요）
ㄷ変格	듣다	듣	들으 (들으면)	들어 (들어요)
ㅅ変格	낫다	낫	나으 (나으면)	나아 (나아요)
ㅂ変格	맵다	맵	매우 (매우면)	매워 (매워요)
르変格	빠르다	빠르	빠르 (빠르면)	빨라 (빨라요)
러変格	이르다	이르	이르 (이르면)	이르러 (이르러요)
ㅎ変格	그렇다	그렇	그러 (그러면)	그래 (그래요)

UNIT 18 特殊語幹① ㄹ語幹を覚えよう

CD 61

A 서울그룹의 김 과장님을 아십니까?
<small>ソウルグルベ キム クァジャンニムル アシムニッカ</small>
<small>알다 (ㄹ語幹) の尊敬形 [Ⅱ-시-] の합니다体</small>

B 회의에서 몇 번 만나서 잘 압니다.
<small>フェイエソ ミョッ ポン マンナソ チャル アムニダ</small>
<small>알다 (ㄹ語幹) の합니다体</small>

A 정민경 씨를 아세요?
<small>チョンミンギョン ッシルル アセヨ</small>
<small>알다 (ㄹ語幹) の尊敬形 [Ⅱ-시-] の해요体</small>

사장님의 비서예요.
<small>サジャンニメ ピソエヨ</small>

B 네, 잘 알아요.
<small>ネ チャル アラヨ</small>
<small>ㄹ語幹は第Ⅲ活用のときには変化なし (通常の第Ⅲ活用)</small>

韓国マメ知識

불고기〔ㅂプルコギ〕(プルコギ) でおもてなし

日本では客人が訪問してきた場合にはお寿司を出すのが今でも一般的ですが、韓国で客人をもてなす料理はなんと言っても□**불고기**です。

> **わかるコト** ──第Ⅱ活用で特殊な変化
>
> 変則的な活用をする ㄹ語幹について勉強します。変化の多い用言ですので、きちんと覚えることが大切です。

A ソウルグループのキム課長をご存じですか？

B 会議で何回か会ったのでよく知っています。

A ジョンミンギョンさんをご存じですか？

社長の秘書です。

B はい、よく知っています。

単語帳 CD 62

- □ 그룹（グループ）
- □ 회의（🈩会議／打ち合わせ）
- □ **사장님**（🈩社長）
- □ 비서（🈩秘書）
- □ 알다（知る）

韓国語の文法公式を覚えよう　CD 63

公式 26　ㄹ語幹は第Ⅱ活用にご用心

語幹末にㄹを持つ全ての動詞／形容詞を**ㄹ語幹**といいます。
ㄹ語幹は**第Ⅱ活用のときに特殊な変化**をします。また、活用形に
かかわらずㄹが脱落することがあるので、注意が必要です。

1 第Ⅱ活用のとき、パッチムがあっても으が入らない

パルダ
팔다　×팔으면　○팔면　　イゴ　パルミョン　オルマエヨ
売る　　（仮定[Ⅱ-면]）　　**이거 팔면 얼마예요?**
　　　　　　　　　　　　　　これ売ったらいくらですか？

2 ㄹパッチムが接続されるとき、ㄹが脱落する

マンドゥルダ　　　　　　　　　　　　マンドゥル ス イッソヨ
만들다　×만들을 수 있어요.　○**만들 수 있어요.**　　*可能形[Ⅱ-ㄹ 수 있다]+해요体
作る　　　　　　　　　　　　　　作ることができます。

3 ㅂパッチムが接続されるとき、ㄹが脱落する

アルダ　　　　　　　　　アムニダ
알다　×알습니다.　○**압니다.**　　*합니다体[語幹-ㅂ(습)니다]
知る／分かる　　　　　　知っています。／分かります。

4 ㅅが続くとき、ㄹが脱落する

サルダ　　　　　　　　　　　　　　　　サシムニダ
살다　×살으십니다　×살십니다　○**사십니다.**　　*尊敬形[Ⅱ-시-]+합니다体
暮らす／住む　　　　　　　　　　お暮らしになります。

5 ㄴが続くとき、ㄹが脱落する

ウルダ　　　　　　　　　　アイガ ウニッカ ハジ マセヨ
울다　×울으니까　×울니까　○**아이가 우니까 하지 마세요.**　　*理由[Ⅱ-니까]
泣く　　　　　　　　　　　子供が泣くからやめてください。

6 ㄹ語幹の動詞・形容詞

☐ **놀다** ㊀ノルダ（遊ぶ）　　☐ **들다** ㊀トゥルダ（持つ／持ち上げる）　　☐ **열다** ㊀ヨルダ（開く）
☐ **쓸다** ㊀ッスルダ（掃く）　☐ **벌다** ㊀ポルダ（稼ぐ）

かんたん 10分 エクササイズ　DL 16　UNIT 18

次のㄹ語幹の用言基本形を（ ）の形に直し、文を完成させましょう。

① 놀다（합니다体）
   토요일에는 친구하고 ＿＿＿＿＿＿.
   土曜日は友達と遊びます。

② 울다（尊敬形 [Ⅱ-시-] + 합니다体 / + 해요体）
   어머니는 옛날 사진을 보면 항상
   ＿＿＿＿＿＿. / ＿＿＿＿＿＿.
   母は昔の写真を見るといつもお泣きになります。

③ 벌다（不可能形 [Ⅱ-ㄹ 수 없다] + 합니다体 / + 해요体）
   돈을 많이 ＿＿＿＿＿＿. / ＿＿＿＿＿＿.
   お金をたくさん稼ぐことはできません。

④ 만들다（Ⅱ-면/仮定）
   집에서 밥을 ＿＿＿＿＿＿ 맛있어요.
   家でご飯を作ると美味しいです。

正解・解説

① 토요일에는 친구하고 **놉니다**.
   ＊ㄹ語幹はㄴの前ではパッチムㄹが脱落するので、놉니다とします。

② 어머니는 옛날 사진을 보면 항상 **우십니다**. / **우세요**.
   ＊ㄹ語幹はㅅの前ではパッチムㄹが脱落するので、우시とします。

③ 돈을 많이 **벌 수 없습니다**. / **벌 수 없어요**.
   ＊ㄹ語幹はㄹパッチムが接続するときㄹが脱落するので、벌 수 없다とします。

④ 집에서 밥을 **만들면 맛있어요**.
   ＊ㄹ語幹は第Ⅱ活用のときにパッチムがあっても으が入らないので、만들면とします。

UNIT 19 特殊語幹② ―語幹を覚えよう

CD 64

A 점심 안 드셨어요?
_{チョムシム アン トゥショッソヨ}

B 너무 바빠서 못 먹었어요.
_{ノム パッパソ モン モゴッソヨ}
　　바쁘다(ㅡ語幹)の理由を表す [Ⅲ-서]

A 이 과자를 드세요.
_{イ クァジャルル トゥセヨ}

B 배가 고파서 죽겠어요.
_{ペガ コッパソ チュッケッソヨ}
　　고프다(ㅡ語幹)の理由を表す [Ⅲ-서]

韓国マメ知識

喫煙するときの注意

韓国では目上の人の前では煙草を吸ってはいけませんが、目上の人の許しがあれば吸うことができます。また、煙草を吸う女性に対する印象が日本以上によくありませんので、女性は人前での喫煙には気をつけましょう。

わかるコト ——第Ⅲ活用で特殊な変化

変則的な活用をする特殊語幹の—語幹について勉強します。해요体や過去形など、**第Ⅲ活用のときだけ特殊な変化**をする用言です。

A　お昼ご飯召し上がらなかったのですか？
B　あまりにも忙しくて食べられませんでした。
A　このお菓子を召し上がってください。
B　お腹が空いて死にそうです。

単語帳 CD 65

- 점심 (お昼ご飯／圏点心)
- 과자 (圏菓子)
- 드시다 (召し上がる)(121ペ参照)
- 너무 (とても／あまりにも)
- 바쁘다 (忙しい)
- 배가 고프다 (お腹が空く)

補助文型

- 第Ⅲ活用 - 서 죽겠다
  (～て死にそうだ)
- 第Ⅱ活用 - 세요
  (～てください)
  →公式25参照

韓国語の文法公式を覚えよう　CD 66

公式 27 ―語幹は第Ⅲ活用にご用心

語幹末の母音に―をもつ用言のほとんどが―語幹で、**第Ⅲ活用のときに特殊な変化**をします。第Ⅰ／Ⅱ活用のときには変化がありません。

1 語幹末の前の文字の母音が、陽母音ㅏ／ㅑ／ㅗの場合

語幹末（―が母音の文字）の前の文字の母音が、陽母音ㅏ／ㅑ／ㅗであることを確認します（a）。第Ⅲ活用をするとき、語幹末の母音―が脱落し代わりに母音ㅏを接続します（b）。

アップダ　　　　　　　　　　　　　　　　アッパヨ
아프다（痛い）　✕아프어요　〇아파요（痛いです）＊해요체[Ⅲ-요]

a：語幹末の1つ前の文字の母音をチェック　　b：語幹末の母音を―からㅏに

2 語幹末の前の文字が陰母音か、語幹末の前に文字がない場合

語幹末（―が母音の文字）の前の文字の母音が、ㅏ／ㅑ／ㅗ以外であること、または文字が何もないことを確認します。第Ⅲ活用をするとき、語幹末の母音―が脱落し、代わりに母音ㅓを接続します。

キップダ　　　　　　　　　　　　　　　　キッポヨ
기쁘다（嬉しい）　✕기쁘어요　〇기뻐요（嬉しいです）＊해요체[Ⅲ-요]

クダ　　　　　　　　　　　　　　　　コヨ
크다（大きい）　✕크어요　〇커요（大きいです）＊해요체[Ⅲ-요]

3 ―語幹の用言

☐ 쓰다 ⓐッスダ（書く／使う／にがい）　☐ 뜨다 ⓐットゥダ（浮かぶ）　☐ 끄다 ⓐックダ（消す）
☐ 나쁘다 ⓐナップダ（悪い）　☐ 슬프다 ⓐスルプダ（悲しい）　☐ 모으다 ⓐモウダ（集める）
☐ 고프다 ⓐコップダ（腹が空く）　☐ 잠그다 ⓐチャムグダ（鍵をかける）　☐ 담그다 ⓐタムグダ（漬ける）
☐ 따르다 ⓐッタルダ（従う）　☐ 치르다 ⓐチルダ（支払う）

＊語幹末の形が르である用言のうち따르다（従う）と치르다（支払う）以外は르変格活用（UNIT23参照）ですので、―語幹とは活用が異なります。

かんたん10分エクササイズ UNIT 19

次の—語幹の基本形を（　）の形に直し、文を完成させましょう。

① 쓰다（過去形 [Ⅲ - ㅆ] +합니다体）

한국어로 편지를 _____.

韓国語で手紙を書きました。

② 쓰다（理由・先行動作の [Ⅲ - 서] ）

너무 _____ 못 먹겠어요.

にがすぎて食べられなさそうです。

③ 슬프다（理由・先行動作の [Ⅲ - 서] ）

_____ 눈물이 나와요.

悲しくて涙が出ます。

④ 담그다（해요体 [Ⅲ-요] ）

십일월에 김치를 _____.

11月にキムチを漬けます。

正解・解説

① 한국어로 편지를 **썼습니다**.
　＊쓰다(書く)は—の直前の母音が何もないので、—を脱落させてから ㅓ を接続し써とします。

② 너무 **써서** 못 먹겠어요.
　＊쓰다(にがい)は—の直前の母音が何もないので、—を脱落させてから ㅓ を接続し써とします。

③ **슬퍼서** 눈물이 나와요.
　＊슬프다は—の直前が陰母音ㅡなので、語幹末の—を脱落させてから ㅓ を接続し슬퍼とします。

④ 십일월에 김치를 **담가요**.
　＊담그다は—の直前が陽母音ㅏなので、—を脱落させてから ㅏ を接続し담가とします。
　注意：通常、月日は11月とアラビア数字で表記します。

UNIT 20 変格用言①
ㄷ変格用言の活用を覚えよう

A 그 이야기를 언제 들었어요?
<small>듣다(ㄷ変格)の過去形[Ⅲ-ㅆ-]＋해요体[Ⅲ-요]</small>

B 어제 부장님에게서 들었어요.
<small>듣다(ㄷ変格)の過去形[Ⅲ-ㅆ-]＋해요体[Ⅲ-요]</small>

A 과장님 전근 이야기도 들으셨어요?
<small>듣다(ㄷ変格)の尊敬形[Ⅱ-시-]＋過去形[Ⅲ-ㅆ-]＋해요体[Ⅲ-요]</small>

B 네, 뭐든지 저에게 물어 보세요.
<small>묻다(ㄷ変格)の「〜してみる」と試みを表す[Ⅲ-보다]＋尊敬の해요体[Ⅱ-세요]</small>

韓国マメ知識　エスカレーターのルール

韓国ではエスカレーターに乗るときは、関西と同じように右側に立ち、左側は追い越す人のためにあけておきます。

> **わかるコト**
> **ㄷ変格用言は語幹末にㄷを持つ一部の用言**です。変格用言は、特殊語幹と同じように、語幹末に同じ形を持っていても、規則的な活用をする正格用言(せいかくようげん)とは区別しなければいけません。

A　その話をいつ聞きましたか？
B　昨日部長から聞きました。
A　課長の転勤の話もお聞きになりましたか？
B　はい、何でも私に尋ねてみてください。

들었어요？
（聞きましたか？）

単語帳 CD 68

- 이야기 (話)
- 언제 (いつ)
- 어제 (昨日)
- 부장님 (園部長)
- 에게서 (〜から)
- 과장님 (園課長)
- 전근 (園転勤)
- 도 (〜も)
- 듣다 (聞く)
- 묻다 (尋ねる)

補助文型

第Ⅲ活用 - 보다
「〜してみる」と試みなどを表すときは、用言の第Ⅲ活用に試みの助動詞 -보다 を接続します。

한번 먹어 보세요.
一度食べてみてください。

韓国語の文法公式を覚えよう　CD 69

公式 28 ｜ ㄷ変格用言は第Ⅱ／Ⅲ活用にご用心

語幹末に**ㄷ**を持つ一部の用言は、**第Ⅱ／Ⅲ活用のときに特殊な変化**をします。第Ⅰ活用のときには変化がありません。

1 ㄹ語幹との違い

ㄷ変格活用では、**第Ⅱ活用と第Ⅲ活用のときにㄷがㄹに変化**します。しかしㄹ語幹ではありませんので、**ㄹパッチムありの扱い**となります。
では、걷다(歩く)／듣다(聞く)を第Ⅱ／Ⅲ活用してみましょう。

▶仮定形［Ⅱ-면］：걷다→걸으면(歩けば) ＊必ず으が入ります。

　　マニ　　　コルミョン　　コンガンエ　　チョアヨ
많이　걸으면　건강에　좋아요.（たくさん歩くと健康にいいです。）〔漢健康〕

▶尊敬形［Ⅱ-시］：듣다→들으시다(お聞きになる) ＊必ず으が入ります。

　　ソムヌル　　トゥルショッソヨ
소문을　들으셨어요?（噂をお聞きになりましたか？）〔漢所聞(噂)〕

▶先行動作［Ⅲ-서］：걷다→걸어서(歩いて)

　コロソ　　　カヨ
걸어서　가요?（歩いて行きますか？）
＊通常の第Ⅲ活用。語幹末の母音が陽母音ㅏ／ㅑ／ㅗのときは次に아を、それ以外では어をつなげます。

2 ㄷ変格用言

☐ **싣다** ㅛシッタ (載せる)　　☐ **긷다** ㅛキッタ (汲む)　　☐ **깨닫다** ㅛケダッタ (悟る)
☐ **묻다** ㅛムッタ (尋ねる)　　☐ **붇다** ㅛブッタ (ふやける)　☐ **일컫다** ㅛイルコッタ (称する)

3 ㄷ正格用言（正格用言は特殊な変化をしません）

☐ **받다** ㅛパッタ (受け取る)　☐ **닫다** ㅛタッタ (閉める)　☐ **얻다** ㅛオッタ (もらう)
☐ **믿다** ㅛミッタ (信じる)　　☐ **쏟다** ㅛソッタ (こぼす)　　☐ **묻다** ㅛムッタ (埋める)

かんたん 10分 エクササイズ UNIT 20

次の ㄷ 変格活用の基本形を（ ）の形に直し、文を完成させましょう。

① 듣다 (不可能形 [Ⅱ - ㄹ 수 없다] + 過去形 [Ⅲ - ㅆ] + 해요体)
   라디오를 켰지만 _____. 고장이에요?
   ラジオをつけたけれど聞くことができません。故障ですか？

② 깨닫다 (過去形 [Ⅲ - ㅆ] + 합니다体)
   유학가서 뭘 _____?
   留学して何を悟りましたか？

③ 묻다 (仮定形 [Ⅱ - 면])
   뭐든지 _____ 대답해요.
   何でも尋ねれば答えます。

④ 듣다 (過去形 [Ⅲ - ㅆ] + 해요体)
   바빠서 주리 씨 이야기를 못 _____.
   忙しくてチュリさんの話を聞けませんでした。

正解・解説

① 라디오를 켰지만 **들을 수 없어요**. 고장이에요? [漢 故障]
   ＊ㄹ語幹ではないのでㄹの前でㄹが脱落することはありません。

② 유학가서 뭘 **깨달았습니까**?
   ＊語幹末が陽母音ㅏですので、[Ⅲ - ㅆ]は았(아＋ㅆ)が接続されます。

③ 뭐든지 **물으면** 대답해요.
   ＊ㄷが脱落してㄹに変わりますが、ㄹ語幹ではないので[Ⅱ - 면]を接続するときには必ず으を入れます。

④ 바빠서 주리 씨 이야기를 못 **들었어요**.
   ＊語幹末が陰母音ㅡですので、[Ⅲ - ㅆ]は었(어＋ㅆ)が接続されます。

UNIT 21 変格用言②ㅅ変格用言の活用を覚えよう

CD 70

A 감기 나으셨어요?
<small>カムギ ナウショッソヨ</small>
낫다(ㅅ変格)の尊敬形[Ⅱ-시-]＋過去形[Ⅲ-ㅆ-]＋해요体[Ⅲ+요]

B 이제 다 나았어요.
<small>イジェ タ ナアッソヨ</small>
낫다(ㅅ変格)の過去形[Ⅲ-ㅆ-]＋해요体[Ⅲ+요]

A 집을 지으셨어요?
<small>チブル チウショッソヨ</small>
짓다(ㅅ変格)の尊敬形[Ⅱ-시-]＋過去形[Ⅲ-ㅆ-]＋해요体[Ⅲ+요]

B 네, 새로 지었어요.
<small>ネ セロ チオッソヨ</small>
짓다(ㅅ変格)の過去形[Ⅲ-ㅆ-]＋해요体[Ⅲ+요]

韓国マメ知識

お年寄りには席を譲りましょう

韓国は目上の人を敬う文化ですので、地下鉄やバスなどにお年寄りが乗ってきたら優先席ではなくても席を譲りましょう。

> **わかるコト**
>
> ㅅ**変格は語幹末にㅅを持つ一部の用言**です。語幹末に同じ形を持っていても規則的な活用をする正格用言と区別しなければなりません。

A 風邪治りましたか？

B もうすっかり治りました。

A 家をお建てになりましたか？

B はい、新しく建てました。

単語帳 CD 71

- 감기（風邪）〔感気〕
- 낫다（治る）
- 이제（もう）
- 다（すっかり）
- 집（家）
- 새로（新しく）
- 짓다（建てる）

韓国語の文法公式を覚えよう CD 72

公式 29 ㅅ変格用言は第Ⅱ／Ⅲ活用にご用心

語幹末にㅅを持つ一部の用言は、**第Ⅱ活用のときと第Ⅲ活用のときに特殊な変化**をします。

1 ㅅが脱落してもパッチムありの扱いをする

第Ⅱ／Ⅲ活用のときにㅅが脱落しますが、パッチムありの扱いとなります。では、짓다(作る／建てる／炊く)を第Ⅱ／Ⅲ活用してみましょう。第Ⅰ活用のときには変化がなく짓-です。

▶仮定形［Ⅱ - 면］：짓다→**지으**면 ＊ㅅが脱落した次に必ず으が接続されます。

<small>ソウレソ　チブル　チウミョン　オルマナ　トゥロヨ</small>
서울에서 집을 지으면 얼마나 들어요?
ソウルで家を建てるといくらくらいかかりますか?

▶可能形［Ⅱ - ㄹ 수 있다］：짓다→**지을** 수 있다 ＊ㅅが脱落した次に必ず으が接続されます。

<small>シボォ　グォニ　イッスミョン　チウル　ス　イッソヨ</small>
십억 원이 있으면 지을 수 있어요.
10億ウォンあれば建てることができます。 ＊お金は通常10억원とアラビア数字で表記します。

▶過去形［Ⅲ - ㅆ］：짓다→**지었**다 ＊パッチムありの扱いとなりますので、そのまま通常の第Ⅲ活用をします。

<small>チャンニョネ　チブル　チオッソヨ</small>
작년에 집을 지었어요.
昨年家を建てました。〔漢昨年〕

2 ㅅ変格用言

☐ **붓다** ㉠ブッタ (注ぐ／腫れる)　☐ **긋다** ㉠クッタ (引く)　☐ **잇다** ㉠イッタ (繋ぐ)
☐ **젓다** ㉠ジョッタ (かき回す)

3 ㅅ正格用言（正格用言は特殊な変化をしません）

☐ **웃다** ㉠ウッタ (笑う)　☐ **벗다** ㉠ポッタ (脱ぐ)　☐ **씻다** ㉠シッタ (洗う)
☐ **빼앗다** ㉠ッペアッタ (奪う)

かんたん 10分 エクササイズ　DL 19　UNIT 21

次のㅅ変格用言基本形を（　）の形に直し、文を完成させましょう。

① **낫다**（해요体［Ⅲ-요］）

　약을 먹었지만 감기가 안 ＿＿＿＿＿＿＿＿＿.

　薬を飲んだけれど風邪が治りません。

② **젓다**（理由［Ⅲ-서］）

　＿＿＿＿＿＿＿＿＿ 드세요.

　かき回して召し上がれ。

③ **붓다**（過去形［Ⅲ-ㅆ］＋해요体）

　왜 그렇게 눈이 ＿＿＿＿＿＿＿＿＿? 울었어요?

　なぜそんなに目が腫れているのですか？　泣いたのですか？

④ **붓다**（過去形［Ⅲ-ㅆ］＋합니다体）

　맥주를 잔에 가득히 ＿＿＿＿＿＿＿＿＿.

　ビールをグラスいっぱいに注ぎました。

正解・解説

① 약을 먹었지만 감기가 안 **나아요**.

＊ㅅ変格は第Ⅲ活用のときにㅅが脱落しますが、パッチムはそのままあると考えます。語幹末が陽母音ㅏなので次には아を接続します。

② **저어서** 드세요.

＊パッチムあり扱いなので、語幹末が陰母音ㅓであることを確認し、次に어を接続します。

③ 왜 그렇게 눈이 **부었어요**?　울었어요?

＊パッチムあり扱いなので、語幹末が陰母音ㅜであることを確認し、次に었を接続します。日本語では「腫れている」ですが、韓国語では過去形を使います。

④ 맥주를 잔에 가득히 **부었습니다**.

UNIT 22 変格用言③ ㅂ変格用言の活用を覚えよう

CD 73

A 김치찌개는 매워요?
　　キムチッチゲヌン　メゥォヨ
　　맵다 (ㅂ変格) の해요体 [Ⅲ-요]

B 맵지만 맛있어요.
　　メプチマン　マシッソヨ
　　ㅂ変格も第Ⅰ活用のときは変化なし (逆接 [Ⅰ-지만])

A 이거 맛있어요?
　　イゴ　マシッソヨ

B 맛이 싱거워요.
　　マシ　シンゴウォヨ
　　싱겁다 (ㅂ変格) の해요体 [Ⅲ-요]

韓国マメ知識

付録が豪華！

2000年代中ごろから日本の雑誌にも豪華な付録がつくようになりましたが、韓国では1990年代以前から豪華な付録があたりまえです。
□광화문 ⓙ クヮンファムン (光化門) にある □교보문고 ⓙ キョボムンゴ (教保文庫) のような大型の書店には、本だけではなく、CDショップも併設されていますし、雑貨店やファストフードショップも併設されています。

> **わかるコト** ㅂ変格用言の活用を勉強します。語幹末に同じ文字を持っていたとしても規則的な活用をする正格活用もありますので、区別が必要です。

A キムチチゲは辛いですか？
B 辛いけど美味しいです。

A これ美味しいですか？
B 味が薄いです。

単語帳 CD 74

- 찌개 (チゲ)
- 맵다 (辛い)
- 싱겁다 ("味が"薄い)

韓国語の文法公式を覚えよう　CD 75

公式 30　ㅂ変格用言は第Ⅱ／Ⅲ活用にご用心

ㅂ**変格用言は語幹末にㅂを持つ一部の動詞・形容詞**です。**第Ⅱ／Ⅲ活用のときに語幹末の形が変化**します。第Ⅰ活用のときは変化がありません。

1 第Ⅱ活用の場合、ㅂが脱落し、우をつける

第Ⅱ活用のときには、ㅂが脱落し、次の文字に우が続きます。
▶**理由**［Ⅱ-니까］: 맵다→**매우**니까
キムチヌン　メウニッカ　アイドゥルン　モン　モゴヨ
김치는 매우니까 아이들은 못 먹어요. (キムチは辛いから子供は食べられません。)

▶**尊敬形**［Ⅱ-시-］: 맵다→**매우**시다
クロッケ　メウセヨ?
그렇게 매우세요? (そんなに辛いですか?)

2 第Ⅲ活用の場合、ㅂが脱落し、워をつける

第Ⅲ活用のときには、ㅂが脱落し、次の文字に우が続いた後に、通常の第Ⅲ活用をしますので어が接続され워と縮約させます。돕다 (手伝う)、곱다 (細かい／心が美しい) の2語のみ워ではなく와を接続します。

▶**過去形**［Ⅲ-ㅆ］: 맵다→**매웠**다
チョ　シクタンエ　キムチヌン　チョンマルロ　メウォッソヨ
저 식당의 김치는 정말로 매웠어요. (あの食堂のキムチは本当に辛かったです。) 漢食堂

▶**先行動作**［Ⅲ-서］: 맵다→**매워**서
ノム　メウォソ　ヌンムリ　ナワヨ
너무 매워서 눈물이 나와요. (とても辛くて涙が出ます。)

3 ㅂ変格用言

☐ **반갑다** ㊜バンガプタ (嬉しい) 　☐ **고맙다** ㊜コマプタ (ありがたい) 　☐ **아름답다** ㊜アルムダプタ (美しい)
☐ **귀엽다** ㊜クィヨプタ (可愛い) 　☐ **덥다** ㊜トプタ (暑い) 　☐ **춥다** ㊜チュプタ (寒い)

4 ㅂ正格用言 (正格用言は特殊な変化をしません)

☐ **좁다** ㊜チョプタ (狭い) 　☐ **넓다** ㊜ノルタ (広い) 　☐ **입다** ㊜イプタ (着る) 　☐ **씹다** ㊜ッシプタ (噛む)

かんたん 10分 エクササイズ　UNIT 22

次のㅂ変格用言基本形を（　）の形に直し、文を完成させましょう。

① **시끄럽다**（過去形 [Ⅲ-ㅆ-] + 해요体）
　어제는 옆집 사람들이 너무 ＿＿＿＿＿＿＿＿．
　昨日は横の家の人たちがあまりにもうるさかったです。

② **쉽다**（過去形 [Ⅲ-ㅆ-] + 해요体）
　이번 시험문제는 너무 ＿＿＿＿＿＿＿＿．
　今回の試験問題はとても簡単でした。

③ **반갑다**（過去形 [Ⅲ-ㅆ-] + 해요体）
　길에서 우연히 친구를 만나서 ＿＿＿＿＿＿＿＿．
　道で偶然に友達に会って嬉しかったです。

④ **어렵다**（尊敬形 [Ⅱ-시-] + 합니다体）
　한국말이 ＿＿＿＿＿＿＿＿＿＿ ?
　韓国語がお難しいですか？

正解・解説

① 어제는 옆집 사람들이 너무 **시끄러웠어요**.
　＊過去形 [Ⅲ-ㅆ-] でも、ㅂが脱落し次に우が入り縮約が起きて웠となります。

② 이번 시험문제는 너무 **쉬웠어요**.　[漢]試験　[漢]問題

③ 길에서 우연히 친구를 만나서 **반가웠어요**.　[漢]偶然

④ 한국말이 **어려우십니까**?
　＊尊敬の接尾辞시は第Ⅱ活用を求めるので、ㅂが脱落し次の文字に우が入り시をつなげます。

UNIT 23 変格用言④ 르変格用言と 러変格用言の活用を覚えよう

A 한국어가 어려워요?
　　ハングゴガ　オリョウォヨ

B 네, 아직 발음이 서툴러요.
　　ネ　アジク　パルミ　ソトゥルロヨ
　　서투르다 (르変格)の해요体 [Ⅲ - 요]

A 일본말하고 한국말은 비슷해요?
　　イルボンマルハゴ　ハングンマルン　ピスッテヨ

B 비슷하지만 많이 달라요.
　　ピスッタジマン　マニ　タルラヨ
　　다르다 (르変格)の해요体 [Ⅲ - 요]

韓国マメ知識

旧正月とお盆

韓国の人々はお正月とお盆は実家に帰省してすごしますので、その期間（3～5日間）はデパートやショッピングセンターは店を閉めているところが多く、都市も閑散としています。また、正月もお盆も旧暦のため毎年変動するので、日にちをチェックしてから旅行の日程を決めましょう。

> **わかるコト**
>
> 르変格用言は語幹末に르をもつ用言です。また、러変格用言は語幹末に러をもついくつかの用言です。これらは活用の際に特殊な変化をするので気をつけなければいけません。

A 韓国語が難しいですか？

B はい、まだ発音が下手です。

A 日本語と韓国語は似ていますか？

B 似ているけれど随分と違います。

単語帳 CD 77

- 서투르다（下手だ）
- 비슷하다（似る）
- 다르다（異なる／違う）
- 발음（【発音）
- 많이（たくさん／随分）

補助文型

- **第Ⅲ活用 - 주세요 / 주십시오**

  Ⅲ-주세요/주십시오を使って「〜してください」という依頼文を作ることができます。尊敬命令Ⅱ-세요/십시오「〜してください」よりも恭しい表現です。

  例「本を読んでください。」
  - 책을 읽어주세요.（お父さんにねだるとき）
  - 책을 읽으세요.（先生が学生に丁寧に命令するとき）

韓国語の文法公式を覚えよう　CD 78

公式 31　르変格用言は第Ⅲ活用にご用心

語幹末に르を持つ用言は、一部を除いて第Ⅲ活用のときに語幹末の形が変化します。第Ⅰ／Ⅱ活用のときには変化がありません。

1 第Ⅲ活用の場合、語幹末が消えて、- ㄹ라か - ㄹ러を接続

第Ⅲ活用のときに語幹末の母音ーが脱落し、ㄹが語幹末の前の文字のパッチムの位置に移動し、**語幹末の前の母音が陽母音ㅏ／ㅑ／ㅗであれば次に라を**接続し、**ㅏ／ㅑ／ㅗ以外であれば次に러を接続**します。

▶過去形［Ⅲ-ㅆ］：빠르다（速い）→빨랐다
　　　　　　　ケイティエクスヌン　アジュ　ッパルラッソヨ
케이티엑스는 아주 빨랐어요.（ＫＴＸはとても速かったです。）

▶依頼文［Ⅲ-주세요］（〜てください）：부르다（呼ぶ）→불러주세요.
　　　　　　　パクソンジュルル　ヨギエ　プルロジュセヨ
박성주를 여기에 불러주세요.（パクソンジュをここに呼んでください。）

2 르変格用言

☐ 다르다 Ⓜタルダ（異なる）　☐ 고르다 Ⓜコルダ（選ぶ）　☐ 오르다 Ⓜオルダ（登る）
☐ 서두르다 Ⓜソトゥルダ（急ぐ）　☐ 기르다 Ⓜキルダ（育てる）　☐ 누르다 Ⓜヌルダ（押さえる）
☐ 흐르다 Ⓜフルダ（流れる）

公式 32　러変格用言は３語だけ！

語幹末に르を持つ用言のうち、次の３語は第Ⅲ活用のときに**語幹末の次に어ではなく러**が入ります。

☐ 푸르다 Ⓜプルダ（青い）　☐ 이르다 Ⓜイルダ（至る）　☐ 누르다 Ⓜヌルダ（黄色い）

푸르다の過去形［Ⅲ-ㅆ］　**하늘이 푸르렀습니다.**（空が青かったです。）
이르다の過去形［Ⅲ-ㅆ］　**목적지에 이르렀습니다.**（目的地に至ります。）

# かんたん10分エクササイズ UNIT 23

次の変格用言を( )の形を直して、文を完成させましょう。

① 게으르다 (해요体 [Ⅲ - 요])
　제 동생은 ＿＿＿＿＿＿＿＿＿.
　私の弟は怠け者です。

② 저지르다 (理由 [Ⅲ - 서])
　실수를 ＿＿＿＿＿＿＿ 어머니께 혼났어요.
　へまをしでかしてお母さんに怒られました。

③ 자르다 (해요体 [Ⅲ - 요])
　가위로 종이를 ＿＿＿＿＿＿＿.
　はさみで紙を切ります。

④ 재빠르다 (理由 [Ⅲ - 서])
　토끼는 ＿＿＿＿＿＿＿ 잡을 수 없어요.
　ウサギはすばしっこくて捕まえることができません。

正解・解説

① 제 동생은 게을러요.
＊第Ⅲ活用해요のときに語幹末の母音ーが脱落し、パッチムㄹが語幹末の前に移動し、語幹末の前の母音が陰母音であれば次に러を接続します。

② 실수를 저질러서 어머니께 혼났어요. 〔圜失手（へま）〕

③ 가위로 종이를 잘라요.
＊第Ⅲ活用해요のときに語幹末の母音ーが脱落し、パッチムㄹが語幹末の前に移動し、語幹末の前の母音が陽母音ㅏ／ㅑ／ㅗであれば次に라を接続します。

④ 토끼는 재빨라서 잡을 수 없어요.

UNIT 24 変格用言⑤ ㅎ変格用言の活用を覚えよう

CD 79

A 한국여행 어땠어요?
ハングンニョヘン オッテッソヨ

어떻다(ㅎ変格)の過去形[Ⅲ-ㅆ-]＋해요体[Ⅲ-요]

B 아주 좋았어요. 즐거웠어요.
アジュ チョアッソヨ チュルゴウォッソヨ

A 그래요? 저도 가고 싶어요.
クレヨ チョド カゴ ショポヨ

그렇다(ㅎ変格)の해요体[Ⅲ-요]

B 한번 가 보세요.
ハンボン カ ボセヨ

韓国マメ知識

ホテルにないもの

韓国のホテルは、□**칫솔**ョチッソル(歯ブラシ)と□**치약**ョチヤク(歯磨き粉)を置いていないところが多いので、持参したほうが良いですが、□**편의점**ョピョニジョム(コンビニ〔園便宜店〕)でも買えます。パジャマが置いていないホテルもありますので、事前にホテルのホームページでチェックしてから出かけましょう。四星以上のホテルであればたいていすべて置いてあります。

> **わかるコト**
> ㅎ**変格活用は語幹末にㅎをもつ一部の用言**です。他の変格活用と同様に語幹末に同じㅎの文字をもっていたとしても、規則的な活用をする正格用言もあるので、区別しなければいけません。

A 韓国旅行どうでしたか？
B とても良かったです。楽しかったです。
A そうですか？私も行きたいです。
B 一度行ってみてください。

単語帳 CD 80

- 여행（[漢]旅行）
- 어떻다（どうだ／どのようだ）
- 즐겁다（楽しい／心地良い）
- 그렇다（そのようだ）

公式 33 ㅎ変格活用は第Ⅱ／Ⅲにご用心

語幹末に**ㅎ**を持つ形容詞のうち**이렇다**（このようだ）／**그렇다**（そのようだ）／**저렇다**（あのようだ）／**어떻다**（どのようだ）と、**色を表す一部のもの**は、**第Ⅱ／Ⅲ活用のときに特殊な変化**をします。

1 第Ⅱ活用の場合、ㅎの脱落

第Ⅱ活用のときには、ㅎが脱落します。

그러면（それならば） クロミョン
仮定形[Ⅱ-면]

그러니까（だから） クロニッカ
理由[Ⅱ-니까]

그러세요?（そうですか？） クロセヨ
尊敬形[Ⅱ-시-]+해요体

＊그렇다（そのようだ）は、これらのように様々に形を変えて接続詞として用いられます。

2 第Ⅲ活用の場合、ㅎの脱落と母音がㅐへ変化

第Ⅲ活用のときには、ㅎが脱落し、語幹末の母音がㅐに変化します。
また、**하얗다**（白い）**のみ語幹末の母音がㅐに変化**します。

그랬어요?（そうだったのですか？） クレッソヨ
過去形[Ⅲ-ㅆ-]+해요体

그래서（だから） クレソ
理由[Ⅲ-서]

그래도（それでも） クレド
強調[Ⅲ-도]

＊「相づちの表現」：発音するときは疑問文のみ語尾を持ち上げます。

그래요.（そうです。） クレヨ

그래요?（そうですか？） クレヨ

3 ㅎ変格用言

☐ **빨갛다** ㉓ッパルガッタ（赤い）　☐ **파랗다** ㉓パラッタ（青い）　☐ **노랗다** ㉓ノラッタ（黄色い）
☐ **까맣다** ㉓ッカマッタ（黒い）　☐ **하얗다** ㉓ハヤッタ（白い）　☐ **기다랗다** ㉓キダラッタ（長々しい）

4 ㅎ正格用言

☐ **좋다** ㉓チョッタ（良い）　☐ **놓다** ㉓ノッタ（置く）　☐ **넣다** ㉓ノッタ（入れる）

かんたん 10分 エクササイズ UNIT 24

次のㅎ変格用言の基本形を（ ）の形に直して、文を完成させましょう。

① **빨갛다** (해요体 [Ⅲ - 요])

원숭이 엉덩이는 _____.

猿の尻は赤いです。

② **까맣다** (해요体 [Ⅲ - 요])

바다에 갔다와서 피부가 _____.

海に行ってきて皮膚が黒いです。

③ **동그랗다** (해요体 [Ⅲ - 요])

제 친구의 얼굴은 _____.

私の友達の顔は丸いです。

④ **하얗다** (理由 [Ⅲ - 서] + 해요体)

너무 _____ 눈이 부셔요.

あまりにも白くて目がまぶしいです。

正解・解説

① 원숭이 엉덩이는 **빨개요**.
   ＊第Ⅲ活用のときにㅎが脱落し語幹末の母音がㅐに変化します。

② 바다에 갔다와서 피부가 **까매요**. [漢 皮膚]
   ＊갔다오다（行ってくる）は가다と오다の合成語として頻繁に用いられます。

③ 제 친구의 얼굴은 **동그래요**.

④ 너무 **하얘서** 눈이 부셔요.
   ＊第Ⅲ活用のときにㅎが脱落し語幹末の母音がㅐに変化します。

SECTION 3 チェック問題

1 次の語を（ ）の形に直し、文を完成させましょう。

① 나쁘다（理由[Ⅲ-서]）
눈이 _____ 잘 안 보입니다.
目が悪くてよく見えません。

② 벌다（합니다体）
저는 주부지만 어느 정도 돈을 _____.
私は主婦ですがいくらかお金を稼いでいます。

③ 팔다（不可能形[Ⅱ-ㄹ 수 없다]＋합니다体）
이 시계만은 _____.
この時計だけは売ることができません。

2 次の語を（ ）の指示通りに直しましょう。

① 걷다（理由[Ⅲ-서]）
수민 씨의 집까지 _____ 갈 수 있어요?
スミンさんの家まで歩いて行けますか？

② 듣다（過去形[Ⅲ-ㅆ]＋해요体）
아침까지 음악을 _____.
朝まで音楽を聴きました。

③ 낫다（仮定形[Ⅱ-면]）
감기가 _____ 학교에 가겠습니다.
風邪が治れば学校に行きます。

3 次の語を（　）の指示通りに直し、文を完成させましょう。

① **반갑다** (해요体 [Ⅲ - 요])
　만나서 _____.
　お会いできて嬉しいです。

② **빠르다** (理由 [Ⅲ - 서] + 해요体)
　말이 _____ 못 알아들어요.
　言葉が速くて聞き取れません。

③ **자르다** (過去形 [Ⅲ - ㅆ] + 해요体)
　애인하고 헤어져서 머리를 _____.
　恋人と別れて髪を切りました。

4 次の語を（　）の指示通りに直し、会話を完成させましょう。

① **그렇다** (해요体 [Ⅲ - 요])
　A : 이것을 부탁해도 돼요?
　　これを頼んでも良いですか？
　B : _____. 좋아요.
　　そうですね。良いですよ。

② **어떻다** (해요体 [Ⅲ - 요])
　A : 맛이 _____? 맛있어요?
　　味はどうですか？　美味しい？
　B : 그럭저럭이에요.
　　まあまあですね。

SECTION 3 チェック問題

正解・解説

1
① 눈이 나빠서 잘 안 보입니다.
　＊나쁘다는ㅡ語幹なので第Ⅲ活用のときに形が変わります。[Ⅰ-지 않다]長型の否定形を使うこともできます。
　　□잘 보이지 않습니다.（よく見えない）

② 저는 주부지만 어느 정도 돈을 법니다.

③ 이 시계만은 팔 수 없습니다. ［漢時計］
　＊팔다はㄹ語幹なのでㄴの前でㄹが脱落します。

2
① 수민 씨의 집까지 걸어서 갈 수 있어요?
　＊걷다はㄷ変格ですので第Ⅱ活用のときにはパッチムㄷが脱落してㄹに変わります。

② 아침까지 음악을 들었어요. ［漢音楽］
　＊듣다もㄷ変格ですので第Ⅲ活用のときにはパッチムㄷが脱落してㄹに変わります。

③ 감기가 나으면 학교에 가겠습니다.
　＊낫다はㅅ変格ですので第Ⅱ活用のときにㅅが脱落しますが、パッチムはあると考えますので으が必要です。

3
① 만나서 반가워요.
　＊반갑다はㅂ変格ですので第Ⅲ活用のときにはㅂが脱落します。

② 말이 빨라서 못 알아들어요.

③ 애인하고 헤어져서 머리를 잘랐어요. ［漢愛人（恋人）］
　＊자르다는르変格ですので第Ⅲ活用のときには形が変わります。

4
① A : 이것을 부탁해도 돼요?　B : 그래요. 좋아요.
　＊어떻다はㅎ変格ですので第Ⅲ活用のときにㅎが脱落し、母音も変化します。

② A : 맛이 어때요? 맛있어요?　B : 그럭저럭이에요.

文法編
SECTION 4

動詞・形容詞などで名詞を修飾できるようになる

UNIT 25　名詞の修飾で表現の幅を広げよう
UNIT 26　現在連体形①「〜している〈名詞〉」
UNIT 27　現在連体形②「〜な〈名詞〉」
UNIT 28　過去連体形①「〜していた〈名詞〉」
UNIT 29　過去連体形②「〜だった〈名詞〉」
UNIT 30　未来連体形と推量「〜するでしょう」の表し方
SECTION 4　チェック問題

UNIT 25 名詞の修飾で表現の幅を広げよう

A 連体形って何？

「〜な〈名詞〉」「〜している〈名詞〉」と用言を使って名詞の様子を表したりするときに、**用言と名詞をつなげる役割をするのが連体形**です。
連体形には、現在の状態を表してつなげる「現在連体形」、過去の状態を表す「過去連体形」、未来の状態を表す「未来連体形」があります。
韓国語では、**現在連体形**と**過去連体形**は**動詞と存在詞がほぼ同じ活用**をし、**形容詞と指定詞が同じ活用**をします。また、**未来連体形**は**4大用言全てが同じ活用**をします。公式41や42のように連体形を使った文型が数多くありますのでしっかりマスターしましょう。

B 「現在連体形」のイメージを日本語でつかもう

1 ①動詞　　「降っている雨」：〜する＋名詞／〜している＋名詞

　　②存在詞　「駅前にあるビル」：〜いる＋名詞／〜ある＋名詞

2 ①形容詞　「きれいな色」「白い雪」：〜な＋名詞／〜い＋名詞

　　②指定詞　「小説家である李先生」：〜である＋名詞／〜の＋名詞

맛있다(美味しい)、재미있다(面白い)、멋있다(格好いい)などは日本語では「い形容詞」ですが、韓国語では**存在詞있다／없다を使った用言は全て存在詞**に分類します。

C 「過去連体形」のイメージを日本語でつかもう

1 ①動詞　　「降った雨」「降っていた雨」：〜た＋名詞／〜ていた＋名詞

　　②存在詞　「美味しかった食べ物」：〜かった＋名詞

> **わかるコト** ──連体形とその種類
> 名詞を用言で修飾するときに、**用言を名詞につなげる役割をするのが連体形**です。

2 ①形容詞　「きれいだった色」：〜だった＋名詞／〜かった＋名詞

　　②指定詞　「小説家だった李先生」：〜だった＋名詞

過去連体形には、過去全般を表す**単純過去連体形**のほかに、過去の継続や動作や現在完了を表す**過去回想連体形**と、遠い過去や過去完了を表す**大過去連体形**があります。**大過去連体形**は用言を問わず会話の中でしばしば用いられます。

D 「未来連体形」のイメージを日本語でつかもう

①**動詞**　　「降る雨」「降るはずの雨」：〜るはずの＋名詞

②**存在詞**　「美味しいはずの食べ物」：〜いる＋名詞／〜いるはずの＋名詞

③**形容詞**　「きれいなはずの色」：〜なはずの＋名詞

④**指定詞**　「小説家であるはずの李先生」：〜であるはずの＋名詞

E 連体形活用一覧表

連体形の時制	現在連体形言	過去連体形			未来連体形
		単純過去（過去全般）	回想過去（現在完了）	大過去（過去完了）	
動詞・存在詞	Ⅰ-는	Ⅱ-ㄴ ／ Ⅰ-던*	Ⅰ-던	Ⅲ-썼던	Ⅱ-ㄹ
形容詞・指定詞	Ⅱ-ㄴ	Ⅰ-던			

＊動詞と存在詞は基本的には同じ活用をしますが、存在詞の単純過去だけは［Ⅰ-던］を使います。

UNIT 26 現在連体形①「〜している〈名詞〉」

CD 83

A 비가 내리는 날에는 뭘 하고 지내요?
_{ピガ ネリヌン ナレヌン ムォル ハゴ チネヨ}
動詞내리다の現在連体形［Ⅰ-는］＋名詞날

B 저는 집에서 독서를 해요.
_{チョヌン チベソ トクソルル ヘヨ}

A 저는 맛있는 케이크를 만들어요.
_{チョヌン マシンヌン ケイクルル マンドゥロヨ}
存在詞맛있다の現在連体形［Ⅰ-는］＋名詞케이크
＊맛있다（美味しい）は日本語では形容詞ですが、韓国語では있다／없다を使った用言は全て存在詞に分類します。

B 먹고 싶어요.
_{モッコ シッポヨ}

韓国マメ知識

タクシー

韓国のタクシーには、黒塗りの高級車で初乗りも高いが安心して乗車できる□**모범택시**ョモボムテッシ（模範タクシー）と、オレンジ色の□**국제콜택시**ョクッチェコルテッシ（インターナショナルタクシー）、バン型の□**대형택시**ョテヒョンテッシ（大型タクシー）、最も台数が多い□**일반택시**ョイルバンテッシ（一般タクシー）があります。一般タクシーでは料金トラブルもあるので夜中の乗車や空港からの乗車には気を付けましょう。

> **わかるコト**
> ──動詞と存在詞
> 現在連体形のうち、同じ活用をする動詞と存在詞を使って名詞を修飾する方法を勉強します。

A 雨が降る日には何をして過ごしますか？

B 私は家で読書をします。

A 私は美味しいケーキを作ります。

B 食べたいです。

単語帳 CD 84

- 날 (日)
- 비가 내리다 (雨が降る)
- 지내다 (過ごす)
- 독서하다 (漢読書する)
- 케이크 (ケーキ)
- 만들다 (作る)

韓国語の文法公式を覚えよう　CD 85

公式 34　動詞と存在詞の現在連体形 ［第Ⅰ活用-는］

名詞を**現在形の動詞と存在詞で修飾**するときに必要な活用を、動詞と存在詞の**現在連体形**といい、ともに同じ活用をします。

A　動詞と存在詞の現在連体形 ［Ⅰ-는］

第Ⅰ活用に는を接続します。

기다리다（待つ）　　**기다리 + 는 → 기다리는**（待っている~）

キョムン　アッペソ　　キダリヌン　　　ハクセンイ　ユノエヨ
교문 앞에서 기다리는 학생이 윤호예요.
校門の前で待っている学生がユンホです。〔園校門〕

있다（ある）　　**있 + 는 → 있는**（ある~）

チェクサン ウィエ　インヌン　チェグン　チェ ッコエヨ
책상 위에 있는 책은 제 거예요.
机の上にある本は私のものです。

맛있다（美味しい）、멋있다（格好いい／素敵だ）、재미있다（面白い）など、있다を使った言葉は全て存在詞として扱います。同様に、現在進行形Ⅰ-고 있다（~している）も存在詞を使っていますので連体形の活用は存在詞と同じです。

タニゴ　　インヌン　ハッキョ
다니고 있는 학교（通っている学校）

B　動詞のㄹ語幹の現在連体形 ［Ⅰ（パッチムㄹの脱落）-는］

알다（知る）などのㄹ語幹の動詞は、活用形にかかわらずㄴの前でㄹが脱落します（公式26参照）。

알다（知る）　　**알 + 는 → 아 + 는 → 아는**（知っている~）

ハングゲ　アヌン　サラミ　オプソヨ
한국에 아는 사람이 없어요.
韓国に知っている人（知人／知り合い）がいません。

UNIT 26

C 動詞の否定形の現在連体形 [안 Ⅰ-는／Ⅰ-지 않는]

短形の否定形［안〈用言〉］の場合はそのまま現在連体形［Ⅰ-는］を接続し、長形の否定形［Ⅰ-지 않다］の場合は［Ⅰ-지 않다］の後ろに現在連体形［Ⅰ-는］を接続します。

1 単形の否定形 [안 Ⅰ-는]

쓰다 (使う)　　　　안 쓰다 (使わない)の [Ⅰ-는]
　　　　　　　　　→ 안 쓰 + 는 → **안 쓰는** (使わない〜)

アン ッスヌン カバンウル ジュセヨ
안 쓰는 가방을 주세요. (使わないかばんをください。)

2 長形の否定形 [Ⅰ-지 않는]

쓰다 (使う)　　　　쓰지 않다 (使わない)の [Ⅰ-는]
　　　　　　　　　→ 쓰지 않 + 는 → **쓰지 않는** (使わない〜)

ッスジ アンヌン カバンウル ジュセヨ
쓰지 않는 가방을 주세요. (使わないかばんをください。)

＊주세요／주십시오（「〜ください」尊敬命令形）は、名詞の後につなげます。

D 存在詞の否定形の現在連体形 [없는]

存在詞の否定形の現在連体形は、있다の反対の意味を持つ없다を［Ⅰ-는］にしてから、名詞を接続します。

없다 (ない)　　　　**없 + 는 → 없는** (ない〜)

シガニ オムヌン ナルド イッスムニダ
시간이 없는 날도 있습니다. (時間がない日もあります。)

＊도（〜も）

かんたん 10分 エクササイズ　DL 23

日本語訳を参考にして、現在連体形 ［Ⅰ-는］を使って、次の〈動詞／存在詞の基本形〉＋〈名詞〉をつなげ、文を完成させましょう。

① **듣다 + 음악**
　제가 잘 ＿＿＿＿＿＿＿＿＿＿은 한국가요 입니다.
　私がよく聞く音楽は韓国歌謡です。

② **있다 + 배우**
　한국에서 가장 인기가 ＿＿＿＿＿＿＿＿＿＿는 누구입니까?
　韓国で最も人気がある俳優は誰ですか？

③ **재미있다 + 책**
　＿＿＿＿＿＿＿＿＿＿이 있으면 가르쳐주세요.
　面白い本があれば教えてください。

④ **없다 + 관습**
　일본에는 있지만 한국에는 ＿＿＿＿＿＿＿＿＿＿을 가르쳐주세요.
　日本にはあるけれど韓国にはない慣習（を）教えてください。

⑤ **다니다 + 학교**
　제가 ＿＿＿＿＿＿＿＿＿＿는 여기예요.
　私が通っている学校はここです。

⑥ **다니다 + 회사**
　아버지가 ＿＿＿＿＿＿＿＿＿＿는 종로에 있어요.
　父が通っている会社は鐘路にあります。

⑦ **마시다 + 술**
　제가 자주 ＿＿＿＿＿＿은 포도주예요.
　私がよく飲むお酒はワインです。

⑧ **알다 + 사람**
　서울에는 ＿＿＿＿＿＿이 한 사람도 없어요.
　ソウルには知人（知っている人）が一人もいません。

正解・解説

① 제가 잘 듣는 음악은 한국가요 입니다. 〔漢 歌謡〕
　＊動詞の現在連体形は［Ⅰ-는］です。

② 한국에서 가장 인기가 있는 배우는 누구입니까? 〔漢 人気〕 〔漢 俳優〕
　＊存在詞の現在連体形は［Ⅰ-는］です。

③ 재미있는 책이 있으면 가르쳐주세요.
　＊存在詞の否定形の現在連体形は、否定形없다の Ⅰ-는です。「가르쳐주세요」は「教えてください」。

④ 일본에는 있지만 한국에는 없는 관습(을) 가르쳐주세요. 〔漢 慣習〕
　＊過去形［Ⅲ-ㅆ-］でも、ㅂが脱落し次に우が入り縮約が起きて웠となります。

⑤ 제가 다니는 학교는 여기예요.
　제가 다니고 있는 학교는 여기예요.
　＊다니고 있는は다니다＋現在進行形［Ⅰ-고 있다］の連体形で、こうすることも可能です。ただし、現在進行形［Ⅰ-고 있다］(〜している)は、日本語ほど多用されておらず、リアルタイムに行われている動作を表すときや、会社や学校、習い事など一定の動作の繰り返しや習慣を表現する場合にだけ使われます。

⑥ 아버지가 다니는 회사는 종로에 있어요. 〔漢 鐘路〕

⑦ 제가 자주 마시는 술은 포도주예요. 〔漢 葡萄酒〕

⑧ 서울에는 아는 사람이 한 사람도 없어요.
　＊動詞알다はㄹ語幹用言ですのでㄴの前でㄹが脱落します。

UNIT 27 現在連体形②「〜な〈名詞〉」

A 예진 씨는 어떤 남자를 좋아하세요?
_{ィエジン ッシヌン オットン ナムジャルル チョアハセヨ}
形容詞어떻다（ㅎ変格用言）の現在連体形［Ⅱ-ㄴ］＋名詞남자

B 저는 훤칠한 남성을 좋아해요.
_{チョヌン フォンチラン ナムソンウル チョアヘヨ}
形容詞훤칠하다の現在連体形［Ⅱ-ㄴ］＋名詞남성

겐지 씨는 어떤 여자가 좋으세요?
_{ケンジ ッシヌン オットン ヨジャガ チョウセヨ}
形容詞어떻다（ㅎ変格用言）の現在連体形［Ⅱ-ㄴ］＋名詞여자

A 상냥한 여성이 좋아요.
_{サンニャンハン ヨソンイ チョアヨ}
形容詞상냥하다の現在連体形［Ⅱ-ㄴ］＋名詞여성

韓国マメ知識

本屋さん

大型書店はいつでもにぎわっていますが、インターネット書店のほうが安く購入できるものが多いので、ネット書店で買う人が増えました。韓国のネット書店は日本からも注文でき、3〜5日ほどで届きます。

> **わかるコト** ——形容詞と指定詞
>
> 形容詞と指定詞で名詞を修飾する表現のうち、現在連体形を勉強します。
> 形容詞と指定詞は同じ活用をします。

A　イエジンさんはどんな男の人がお好きですか？

B　私はすらりとした男性を好みます。

　　健二さんはどんな女の人が好きですか？

A　優しい女性が好きです。

単語帳 CD87

- 여자（女／圀女子）
- 여성（圀女性）
- 남자（男／圀男子）
- 남성（圀男性）
- 어떻다（どのようだ）
- 훤칠하다（すらりとする）
- 상냥하다（優しい／にこやかだ）

補助文型

- 을/를 좋아하다（〜が好きだ）
  * 直訳は「〜を好む」ですが、「〜が好きだ」と訳しても問題ありません。

- 이/가 좋다（〜が良い）
  * 口語では「〜が好き」という表現でも使います。좋아하다（好きだ）は動詞、좋다（良い）は形容詞です。
  また、좋아하다는을/를（〜を）に接続し、좋다는 이/가に接続しますので、助詞の使い方を間違えないようにしてください。

韓国語の文法公式を覚えよう　CD 88

公式 35　形容詞の現在連体形［第Ⅱ活用-ㄴ］

名詞を現在形の形容詞で修飾するときに必要な活用を、形容詞の現在連体形といい、指定詞と同じ活用をします。特殊語幹や変格用言などは、連体形を作るときに形が変化するものもありますので、注意しなければなりません。

A　形容詞の現在連体形［Ⅱ-ㄴ］

第Ⅱ活用にㄴを接続します。

좋다（良い）　　좋으+ㄴ→좋은　　_{チョウン サラミムニダ}
　　　　　　　　　　　　　　　　좋은 사람입니다.（良い人です。）

나쁘다（悪い）　나쁘+ㄴ→나쁜　　_{ナップン ナムジャイムニダ}
　　　　　　　　　　　　　　　　나쁜 남자입니다.（悪い男です。）

B　ㄹ語幹用言／ㅂ変格用言／ㅎ変格用言の形容詞の現在連体形［Ⅱ-ㄴ］

1 ㄹ語幹はㄴの前では必ずㄹが脱落する（公式26参照）

길다（長い）　　길+ㄴ→기+ㄴ→긴（長い～）

_{キン モリルル オジェ チャルラッスムニダ}
긴 머리를 어제 잘랐습니다.（長い髪を昨日切りました。）

＊□머리（頭）、□머리카락（髪の毛一本一本）、□머리털（髪の毛）
　切る（動詞）と一緒に使う場合は머리だけでも通じます。

2 ㅂ変格用言は第Ⅱ活用のときにはㅂが脱落し次の文字に우がくる（公式30参照）

무섭다（怖い）　무섭+ㄴ→무서우+ㄴ→무서운（怖い～）

_{ノム ムソウン コンポヨンファルル パッソヨ}
너무 무서운 공포영화를 봤어요.（漢恐怖映画）（とても怖いホラー映画を見ました。）

3 ㅎ変格用言は第Ⅱ活用のときにはㅎが脱落する（公式33参照）

어떻다（どのようだ）　어떻+ㄴ→어떠+ㄴ→어떤（どのような～）

_{オットン チェギムニッカ}
어떤 책입니까?（どんな本ですか？）

UNIT 27

C 形容詞の否定形の現在連体形 [안 Ⅱ-ㄴ／Ⅰ-지 않은]

動詞同様、短形／長形の否定形があります。短形の場合は［안 Ⅱ-ㄴ］、長形の場合は［Ⅰ-지 않은］です。長形のとき、現在連体形の活用をするのは지 않다ですが지 않다の前が形容詞であることを確認して［Ⅱ-ㄴ］をつなげます。形容詞自体は否定形［Ⅰ-지 않다］の第Ⅰ活用をするので注意しましょう。

좋다（良い）　안 좋다の［Ⅱ-ㄴ］→**안 좋으**+ㄴ→**안 좋은**（良くない～）
アン チョウン チェギムニダ
안 좋은 책입니다.（良くない本です。）

좋다（良い）　좋지 않다の［Ⅱ-ㄴ］→**좋지 않으**+ㄴ→**좋지 않은**（良くない～）
チョッチ アヌン チェギムニダ
좋지 않은 책입니다.（良くない本です。）

D 希望［Ⅰ-고 싶다］（～したい）の現在連体形［Ⅰ-고 싶은］

［Ⅰ-고 싶다］は補助形容詞なので、連体形では形容詞の活用をします。
먹다（食べる）　먹고 싶다の［Ⅱ-ㄴ］
　　　　　　→**먹고 싶으**+ㄴ→**먹고 싶은**（食べたい～）
モッコ シップン ゴシ イッソヨ
먹고 싶은 것이 있어요？（食べたいものがありますか？）

公式 36 指定詞の現在連体形 [A-인 B／A-이/가 아닌 B]

A 指定詞の現在連体形 [〈名詞A〉-인〈名詞B〉]

「AであるB」と名詞Bを名詞Aで修飾する場合には、必ず名詞A＋指定詞이다（～だ）を使い、第Ⅱ活用にㄴを接続して名詞Bとつなげます。

남자이다（男だ）　**남자이**+ㄴ→**남자인**（男である～）
ナムジャイン チョヌン クンデエ カムニダ
남자인 저는 군대에 갑니다.（男である私は軍隊に行きます。）

韓国語の文法公式を覚えよう　CD 88　UNIT 27

B　指定詞の否定形の現在連体形 [〈名詞A〉＋ -이/가 아닌＋〈名詞B〉]

指定詞の否定形の現在連体形は -이/가 아니다（〜ではない）を使って、[〈名詞A〉＋ -이/가 아닌＋〈名詞B〉] という形になります。

학생이 아니다（学生ではない）　**학생이 아니+ㄴ**
　　　　　　　　　　　　　　　→**학생이 아닌**（学生ではない〜）

ハゥセンイ　アニン　サラムン　トソグヮヌル　イヨンハル　ス　オプスムニダ
학생이 아닌 사람은 도서관을 이용할 수 없습니다.
学生じゃない人は図書館を利用することができません。

正解・解説　(195㌻・エクササイズ)

① a)**싼 것이라도** b)**좋은 것**이 많이 있습니다.
　＊싸다(安い)、좋다(良い)など形容詞の現在連体形は [Ⅱ-ㄴ] を接続します。(이)라도は名詞について「〜でも」という意味を表します。

② **한가한 날**은 하루종일 텔레비전을 봅니다.

③ **선생님인 아버지**는 아주 엄격하십니다. [漢 厳格]
　＊指定詞이다(〜だ)の現在連体形は [Ⅱ-ㄴ] を接続します。

④ 어제 **무서운 꿈을 꿨습니다.**
　＊무섭다(怖い)はㅂ変格用言ですので、第Ⅱ活用のときにはㅂが脱落して우が入ります。
　　꿈을 꾸다(夢を見る)という場合の「見る」は「꾸다」を使います。

⑤ **단 것**을 좋아해요?
　＊달다はㄹ語幹用言ですので、現在連体形ㄴの前でㄹが脱落します。

⑥ **저는 매운 것**을 못 먹어요.
　＊맵다はㅂ変格用言ですので第Ⅱ活用のときはㅂが脱落して우が入ります。

⑦ 공무원이 아닌 오빠는 **사업가가 됐어요.** [漢 事業家]
　＊指定詞の否定形は -이/가 아니다です。

⑧ **윤호는 밝은 성격**이라서 친구가 많아요. [漢 性格]
　＊指定詞の否定形は -이/가 아니다です。

かんたん 10分 エクササイズ　UNIT 27

次の形容詞／指定詞と名詞を現在連体形でつなげ、文を完成させましょう。

① a：싸다 + 것　　b：좋다 + 것
a)_____이라도 b)_____이 많이 있습니다.
安いものでも良いものがたくさんあります。

② 한가하다 + 날
_____은 하루종일 텔레비전을 봅니다.
暇な日は一日中テレビを見ます。

③ 선생님이다 + 아버지
_____는 아주 엄격하십니다.
先生である父はとても厳しいです。

④ 무섭다 + 꿈
어제 _____을 꿨습니다.
昨日怖い夢を見ました。

⑤ 달다 + 것
_____을 좋아해요?
甘いものが好きですか？

⑥ 맵다 + 것
저는 _____을 못 먹어요.
私は辛いものが食べられません。

⑦ 공무원이 아니다 + 오빠
_____는 사업가가 됐어요.
公務員ではないお兄さんは事業家になりました。

⑧ 밝다 + 성격
윤호는 _____이라서 친구가 많아요.
ユノは明るい性格なので友達が多いです。

UNIT 28 過去連体形① 「〜していた〈名詞〉」

CD 89

A 일본에 간 적이 으세요?
　　_{イルボネ　カン　チョギ　イッセヨ}
　　動詞가다の過去連体形［Ⅱ-ㄴ］＋名詞적

B 한번 간 적이 있어요.
　　_{ハンボン　カン　チョギ　イッソヨ}
　　動詞가다の過去連体形［Ⅱ-ㄴ］＋名詞적

A 일본초밥을 먹어 본 적이 으세요?
　　_{イルボンチョバブル　モゴ　ボン　チョギ　イッセヨ}
　　動詞먹다＋経験［Ⅲ-보다］の過去連体形［Ⅱ-ㄴ］＋名詞적

B 네, 회전 초밥을 먹어 봤어요.
　　_{ネ　フェジョン　チョバブル　モゴ　バッソヨ}

韓国マメ知識

Wifi

韓国のほとんどのホテルやカフェでは無料でWifiを使えますのでとても便利です。カフェなどではレシートにWifiのパスワードが記載されています。パスワードが分からないときは店のスタッフに□**와이파이 비밀번호 알려주세요.**〔_{ワイパイ ビミルボノ アルリョジュセヨ}〕(Wifiのパスワード教えてください。)〔囲秘密番号（パスワード）〕と尋ねましょう。常時Wifiを利用したい人は空港でルーターをレンタルすることもできます。

> **わかるコト** ――動詞
>
> 動詞で名詞を修飾する表現のうち、過去連体形を勉強します。動詞の過去連体形は3種類ありますので、現在完了なのか過去完了なのか過去の長さで使い分けましょう。

A 日本に行ったことがございますか？

B 一度行ったことがあります。

A 日本の寿司を食べてみたことがございますか？

B はい、回転寿司を食べてみました。

単語帳 CD 90

- 적 (事)
- 한번 (漢 一番／一度)
- 초밥 (寿司)
- 회전 (漢 回転)

補助単語

- 일 ヨイ と 적 ヨチョク
  「事」は仕事・出来事の意味で用いられる일と적の2種類がありますが、적は過去連体形のときにしか使えません。

韓国語の文法公式を覚えよう　CD 91

公式 37　動詞の過去連体形［第Ⅱ活用-ㄴ／第Ⅰ活用-던／第Ⅲ活用-ㅆ던］

名詞を過去の動詞で修飾するときに必要な活用を動詞の過去連体形といいます。

A　動詞の単純過去連体形　［Ⅱ - ㄴ］

動詞の単純過去を表す場合は第Ⅱ活用にㄴを接続します。

사오다（買ってくる）　　　사오 + ㄴ → **사온**（買ってきた〜）

カゲエソ　サオン　ッパンウン　チョンブ　ミョッ ケイムニッカ
가게에서 사온 빵은 전부 몇 개입니까?
お店で買ってきたパンは全部で何個ですか？

B　動詞の回想過去連体形（現在完了）［Ⅰ - 던］

動詞の過去の継続や現在完了を表す場合は［Ⅰ - 던］を用います。

다니다（通う）　　　**다니던**（通っていた〜）

チェガ　タニドン　フェサヌン　チョンノエ　イッソヨ
제가 다니던 회사는 종로에 있어요.
私が通っていた会社は鍾路にあります。

C　動詞の大過去連体形（過去完了）［Ⅲ - ㅆ던］

回想の中でも過去形［Ⅲ+ㅆ］に回想の［Ⅰ - 던］を接続した［Ⅲ - ㅆ던］は、大過去や過去の一時的な経験や過去完了を表し、かつ口語で頻繁に用いられます。

놀다（遊ぶ）　　　놀아 + ㅆ던 → **놀았던**（遊んでいた〜）

オリョッスル　ッテ　カッチ　ノラットン　チングガ　オジェ　キョロネッソヨ
어렸을 때 같이 놀았던 친구가 어제 결혼했어요.
子供の頃一緒に遊んでいた友人が昨日結婚しました。［漢結婚］

D 動詞の否定形の過去連体形

1 短形否定形を使った否定連体形

_{アン トゥロボン ウマㇰ}
안 들어본 음악 ＊短形안+듣다の経験［Ⅲ-보다］+過去連体形［Ⅱ-ㄴ］
聞かなかった音楽〔漢音楽〕
＊ㄷ変格用言は第Ⅱ／Ⅲ活用のときㄷが脱落してㄹを接続します（公式28参照）。

2 長形否定形を使った過去連体形

_{トゥロボジ アヌン ウマㇰ}
들어보지 않은 음악 ＊듣다の経験［Ⅲ-보다］+長形［Ⅰ-지 않다］+過去連体形［Ⅱ-ㄴ］
聞かなかった音楽

E 過去の経験を表す形式名詞［적 Ⅱ-ㄴ 적이 있다／Ⅱ-ㄴ 적이 없다］

「〜したことがある／ない」というように動詞の**過去連体形の応用として過去の経験を表すときに頻繁に用いられる**表現です。会話では助詞の이（가）を省略しても構いません。

_{ハングㇰ ヨンファルㇽ ポン チョギ イッソヨ}
한국 영화를 본 적이 있어요? ＊보다の［Ⅱ-ㄴ 적이 있다］+해요体
韓国映画を見たことがありますか？

_{ハングㇰ ソソルㇽ イルグン チョギ オプソヨ}
한국 소설을 읽은 적이 없어요. ＊읽다の［Ⅱ-ㄴ 적이 없다］+해요体
韓国の小説を読んだことがありません。〔漢小説〕

かんたん 10分 エクササイズ　DL 25

1 日本語訳を参考に、次の動詞と名詞を単純過去連体形［Ⅱ-ㄴ／Ⅰ-던］でつなげて、文を完成させましょう。

① 예약하다 + 호텔

_____에는 풀장이 있습니까?

予約したホテルにプールがありますか？

② 듣다 + 것
이 노래는 제가 자주 _____이에요.

この歌は私がよく聞いていたものです。

2 日本語訳を参考に、次の動詞と名詞を大過去連体形［Ⅲ-ㅆ던］でつなげて、文を完成させましょう。

① 살다 + 하숙집
제가 예전에 _____은 이제 없습니다.

私が昔住んでいた下宿はもうありません。

② 찾다 + 서류
한 달 전부터 _____가 서랍 안에 있었습니다.

1ヵ月前から探していた書類が引き出しの中にありました。

UNIT 28

3 次の動詞を「〜したことがある／ないが…」（[Ⅱ-ㄴ 적이 있다／없다] + [Ⅰ-지만]）の形に活用し、文を完成させましょう。

① **보다**
복권을 사 _____ 아직 당첨 된 적은 없습니다.
宝くじは買ってみたことはありますが、まだ当選したことはありません。

② **가다**
아직 외국에 _____ 가고 싶어요.
まだ外国に行ったことがありませんが行きたいです。

正解・解説

1 ① **예약한 호텔에는 풀장이 있습니까?** 〔漢予約〕 〔漢場〕
＊動詞の単純過去は[Ⅱ-ㄴ]です。

② **이 노래는 제가 자주 듣던 것이에요.**
＊動詞の[Ⅰ-던]で過去持続の意味を表します。

2 ① **제가 예전에 살았던 하숙집은 이제 없습니다.** 〔漢下宿〕
② **한 달 전부터 찾았던 서류가 서랍 안에 있었습니다.** 〔漢書類〕
＊過去の一時的な経験を表す場合には過去完了（大過去）[Ⅲ-ㅆ던]の形を用います。

3 ① **복권을 사 본 적이 있지만 아직 당첨 된 적은 없습니다.**
〔漢福券（宝くじ）〕〔漢当選〕
＊経験の助動詞[Ⅲ-보다]に過去連体形の文型を接続した[Ⅲ-본 적이 있다／없다]（〜してみたことがある／ない）という表現も多く用いられます。

② **아직 외국에 간 적이 없지만 가고 싶어요.**

UNIT 29 過去連体形② 「〜だった〈名詞〉」

CD 92

A 책상 위에 있던 서류 누가 가져갔어요?
_{チェクサン ウィエ イットン ソリュ ヌガ カジョカッソヨ}
있다の過去連体形［Ⅰ-던］＋名詞서류

B 조금 전에 학생이 가져갔어요.
_{チョグム ジョネ ハクセンイ カジョカッソヨ}

A 여배우였던 그녀는 은퇴했어요.
_{ヨペウヨットン クニョヌン ウンテヘッソヨ}
名詞여배우＋指定詞이다の過去連体形［Ⅲ-ㅆ던］＋名詞그녀

B 하고 싶었던 영어공부하러 미국에 갔어요.
_{ハゴ シッポットン ヨンオコンブハロ ミグゲ カッソヨ}
하다の希望［Ⅰ-고 싶다］の過去連体形［Ⅲ-ㅆ던］＋名詞영어공부
＊希望を表す「Ⅰ-고 싶다」も形容詞の過去連体形と同じ活用

韓国マメ知識

お酒のマナー

日本ではお酒の継ぎ足しをするのが普通ですが、韓国ではグラスが空になってからお酒を継ぎ足します。グラスにお酒を残しておくことで「これ以上はいりません」という合図になります。

> **わかるコト** ──存在詞／形容詞と指定詞
>
> 存在詞、形容詞と指定詞で名詞を修飾する表現のうち過去連体形を勉強します。形容詞と指定詞は同じ活用をします。

A 机の上にあった書類誰が持って行きましたか？

B 少し前に学生が持って行きました。

A 女優だった彼女は引退しました。

B やりたかった英語の勉強をしにアメリカに行きました。

헤어졌던 남자친구에게서 문자가 왔어요.
（別れたボーイフレンドからメールがきました。）

単語帳 CD 93

- 가져가다 （持って行く）
- 조금 전 （少し前）
- 여배우 （女優）〔漢女俳優〕
- 은퇴하다 （漢引退する）

補助文型

- 移動の目的を表す [Ⅱ-러 가다 / Ⅱ-러 오다]

目的を表す連結語尾と結びつくと「～しに行く」「～しに来る」という移動の目的を表します。活用は第Ⅱ活用に러 가다／러 오를 접속します。

- 사러 가요. （買いに行きます。）
- 먹으러 가요. （食べに行きます。）

韓国語の文法公式を覚えよう　CD 94

公式 38　存在詞の過去連体形
［第Ⅰ活用-던／第Ⅲ活用-ㅆ던］

名詞を過去の存在詞で修飾するときに必要な活用を存在詞の過去連体形といいます。

A　存在詞の単純過去連体形 ［Ⅰ-던］

存在詞の単純過去は第Ⅰ活用に던を接続します。［Ⅱ-ㄴ］は使うことができません。

있다（ある）　　있＋던→**있던**（あった〜）

ヨギエ　イットン　クヮジャ　オディエ　イッソヨ
여기에 있던 과자 어디에 있어요? 〔漢菓子〕
ここに**あったお菓子**どこにありますか？

B　存在詞の大過去連体形 ［Ⅲ-ㅆ던］

［Ⅲ-ㅆ던］は**大過去や過去の一時的な経験や過去完了**を表し、かつ**口語で頻繁に用いられます**。

있다（ある）　　있어＋던→**있었던**（あった〜）

クヮゴエ　イッソットン　コンムルドゥリ　サラジョッスムニダ
과거에 있었던 건물들이 사라졌습니다. 〔漢建物〕
過去に**あった建物**がなくなりました。

C　存在詞の否定形の過去連体形 ［Ⅲ-ㅆ던］

없다（ない）　　없어＋ㅆ던→**없었던**（なかった〜）

トニ　オプソットン　ナルドゥルド　ヘンボッケッスムニダ
돈이 없었던 날들도 행복했습니다.
お金が**なかった日々**も幸せでした。

204

公式 39 | 形容詞と指定詞の過去連体形 [第Ⅰ活用-던／第Ⅲ活用-ㅆ던]

名詞を過去の形容詞・指定詞で修飾するときに必要な活用を、形容詞・指定詞の過去連体形といいます。

A 形容詞・指定詞の過去連体形

「～だった／～かった」など過ぎ去ったことの回想を表す活用は第Ⅰ活用に던を接続します。

1 回想過去・現在完了 [Ⅰ- 던]

푸르다（青い）　푸르 + 던 → **푸르던**（青かった～）

チナン　ジュッカジ　プルドン　ナムンニピ　ッパルガッケ　タンプンイ　トゥロッソヨ
지난 주까지 푸르던 나뭇잎이 빨갛게 단풍이 들었어요.
先週まで青かった木の葉が赤く紅葉しました。

2 大過去・過去完了 [Ⅲ- ㅆ던]

過去形［Ⅲ- ㅆ -］に回想の［Ⅰ- 던］を接続した［Ⅲ- ㅆ던］は［Ⅰ- 던］よりも完了の意味がはっきりとします。口語では［Ⅰ- 던］との区別なく頻繁に用いられます。

어리다（幼ない）　어리어 + ㅆ던 → 어려 + ㅆ던 → **어렸던**（幼かった～）

オリョットン　ミョンジンド　コドゥンハクセンイ　テッスムニダ
어렸던 명진도 고등학생이 됐습니다.
幼かったミョンジンも高校生になりました。

수도이다（首都だ）　수도이어 + ㅆ던 → 수도여 + ㅆ던
　　　　　　　　　　　　　　　　　→ **수도였던 경주**（首都だった～）

シルラエ　スドヨットン　キョンジュエヌン　プルグクサガ　イッスムニダ
신라의 수도였던 경주에는 불국사가 있습니다.
新羅の首都だった慶州には仏国寺があります。

かんたん 10分 エクササイズ　DL 26

1 日本語訳にしたがって形容詞と指定詞の過去連体形（大過去の［Ⅲ-ㅆ던］）を作りましょう。

① 깨끗하다 + 방
　＿＿＿＿＿＿＿＿이 더러워졌습니다.
　きれいだった部屋が汚くなりました。

② 학생이다 + 수연
　연세대학교의 ＿＿＿＿＿＿＿＿은 열심히 공부해서 현대자동차에 취직했습니다.
　延世大学の学生だったスヨンは一生懸命勉強して現代自動車に就職しました。

③ 즐겁다 + 학생때
　결혼하면 ＿＿＿＿＿＿＿＿가 그리워요.
　結婚すると、楽しかった学生時代が懐かしいです。

④ 대통령이다 + 사람
　＿＿＿＿＿＿＿＿을 체포했어요.
　大統領だった人を逮捕しました。

⑤ 비싸다 + 시계
　세일이라서 어제까지 ＿＿＿＿＿＿＿＿가 오늘은 싸요.
　セールなので昨日まで高かった時計が今日は安いです。

⑥ 어렵다 + 시험
　작년까지 ＿＿＿＿＿＿＿＿이 올해는 쉬웠어요.
　去年まで難しかった試験が今年は易しかったです。

UNIT 29

2 日本語訳にしたがって存在詞の過去連体形（Ⅰ-던）を作りましょう。

① 있다 + 아이스크림
 냉장고 안에 _____을 몰라?
 冷蔵庫の中にあったアイスクリームを知らない？

② 있다 + 식당
 학교 앞에 _____이 없어졌어요.
 学校の前にあった食堂がなくなりました。

正解・解説

1
① 깨끗했던 방이 더러워 졌습니다.
 ＊形容詞・指定詞の過去連体形には、過去完了を表す大過去[Ⅲ-ㅆ던]が頻繁に用いられます。

② 연세대학교의 학생이었던 수연은 열심히 공부해서 현대자동차에 취직했습니다. [漢就職]
 ＊動詞の[Ⅰ-던]で過去持続の意味を表します。

③ 결혼하면 즐거웠던 학생때가 그리워요.
 ＊즐겁다（楽しい）はㅂ変格用言ですので、第Ⅲ活用のときにはㅂが脱落して웠を接続します（公式30参照）。

④ 대통령이었던 사람을 체포했어요. [漢大統領] [漢逮捕]
⑤ 세일이라서 어제까지 비싸던 시계가 오늘은 싸요. [漢時計]
⑥ 작년까지 어려웠던 시험이 올해는 쉬웠어요. [漢試験]
 ＊어렵다（難しい）、쉽다（易しい）ともにㅂ変格用言ですので過去形[Ⅲ-ㅆ-]のときにはㅂが脱落して웠을 接続します。

2
① 냉장고 안에 있던 아이스크림을 몰라?
 ＊存在詞の単純過去連体形は[Ⅰ-던]を使います。해요体の語尾の요を取るとタメ口（友達口調）になります。

② 학교 앞에 있던 식당이 없어졌어요.

UNIT 30 未来連体形と推量「～するでしょう」の表し方

CD 95

A 일요일에 어디 갈 예정이에요?
_{イリョイレ オディ カル ィエジョンイエヨ}
가다の未来連体形［Ⅱ-ㄹ］+名詞예정

B 쇼핑할 거예요.
_{ショッピンハル コエヨ}
하다の推量形［Ⅱ-ㄹ 거예요］(～でしょう／と思います)

A 일본사람들은 매운 음식을 좋아해요?
_{イルボンサラムドゥルン メウン ウムシグル チョアヘヨ}

B 많이는 먹을 수 없을 것 같아요.
_{マニヌン モグル ス オプスル ッコッ カッタヨ}
먹다の不可能形［Ⅱ-ㄹ 수 없다］+推量（未来連体形の応用）［Ⅱ-ㄹ 것 같다］（～みたいです）+해요体

A 삼계탕은 안 매우니까 맛있을 거예요.
_{サムゲタンウン アン メウニッカ マシッスル コエヨ}
맛있다の推量形［Ⅱ-ㄹ 거예요］

B 맛있을 것 같네요.
_{マシッスル ッコッ カンネヨ}
推量形［Ⅱ-ㄹ 것 같다］+軽い感嘆語尾［Ⅰ-네요］

> **わかるコト**
>
> これから起こるはずの未来を表すときに用いられる名詞の修飾を未来連体形といいます。未来連体形は4大用言全てに同じ活用をします。

A 日曜日どこか行く予定がありますか？

B ショッピングするでしょう（と思います）。

A 日本人は辛い食べ物は好きですか？

B たくさんは食べられないようです。

A 参鶏湯は辛くないので美味しいと思います。

B 美味しそうですね。

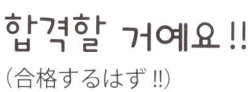

합격할 거예요!!
（合格するはず!!）

単語帳 CD 96

- 예정 (漢予定)
- 삼계탕 (漢参鶏湯)
- 음식 (食べ物／漢飲食)
- 쇼핑하다 (ショッピングする)
- 맵다 (辛い)

補助文型

- 第Ⅰ活用-네요 (〜ですね)

  軽い感嘆語尾「〜ですね」は第Ⅰ活用に네요を接続します。

韓国語の文法公式を覚えよう　CD 97

公式 40　未来連体形［第Ⅱ活用-ㄹ］

未来連体形はこれから起こるはずの事態や、推測を表します。
動詞・存在詞・形容詞・指定詞**全ての用言で第Ⅱ活用にㄹを接続して同じ活用**をします。

1 動詞

「（これから）〜する（はずの）〈名詞〉」と修飾し、**予定**を表します。

결혼하다(結婚する)　　**결혼하 + ㄹ → 결혼할**(結婚するはずの〜)

저 사람이 이번에 결혼할 사람이에요.（あの人が今度結婚する人です）
チョ サラミ イボネ キョロンハル サラミエヨ

2 存在詞

「〜る／〜るはずの／〜い／〜いはずの〈名詞〉」と修飾し、**予測や推測**を表します。

있다(いる)　　**있으 + ㄹ → 있을**(いるはずの〜)

도깨비가 있을 리가 없어요.（お化けがいるわけがありません。）
トッケビガ イッスル リガ オプソヨ

3 形容詞

「〜な／〜なはずの／〜い／〜いはずの〈名詞〉」と修飾し、**予測や推測**を表します。

춥다(寒い)　　**추우 + ㄹ → 추울**(寒いはずの〜)

그렇게 추울 리가 없어요.（そんなに寒いわけがありません。）
クロッケ チュウル リガ オプソヨ

＊춥다（寒い）はㅂ変格用言ですので、第Ⅱ活用のときにはㅂが落ちて、次の文字に우が入ります。

4 指定詞

「〜である（はずの）〈名詞〉」と修飾し、**予測や推測**を表します。

학생이다(学生だ)　　**학생이 + ㄹ → 학생일**(学生であるはずの〜)

그 사람이 학생일 리가 없어요.（その人が学生であるわけがありません。）
ク サラミ ハクセンイル リガ オプソヨ

UNIT 30

公式 41 | 主観的な推量を表す [第Ⅱ活用-ㄹ 것이다／第Ⅱ活用-ㄹ 거예요]

ある事態や行動に対する話者の意志や推測を表す形を勉強します。
活用形は、**未来連体形 [Ⅱ-ㄹ] に 것이다を接続**します。**합니다体のときは、것입니다かそのパッチムを省略した겁니다を用い、해요体の場合は거예요を用います。**
[Ⅰ-겠-]（96p~参照）が確実な意思や推量を表しビジネスなどの場面で多く用いられるのに対し [Ⅱ-ㄹ 거예요]は一般会話で頻繁に用いられます。

오다 (来る)　　오 + ㄹ 거예요 → **올 거예요** (来るでしょう)
　　　　　　　　　ヨンビン　ッシヌン　クムバン　オル　コエヨ
영빈 씨는 금방 올 거예요. (ヨンビンさんはすぐに来るでしょう。)

있다 (ある)　　있으 + ㄹ 거예요 → **있을 거예요** (あるでしょう)
　　　　　　　　ネイルン　シガニ　イッスル　コエヨ
내일은 시간이 있을 거예요. (明日は時間があるでしょう。)

公式 42 | 客観的な推量を表す [第Ⅱ活用-ㄹ 것 같다]

같다は体言（名詞）の後ろについて「～みたいだ」と推量を表す形容詞です。
それぞれの連体形に接続でき、[Ⅱ-ㄹ 것]（～だろうもの）の後ろにつくと「～らしい／～のようだ」という、公式 41 の [Ⅱ-ㄹ 것이다] の推量よりも、不確実ではあるけれど話者の断定の意味が強くなります。

내리다 (降る)　　내리 + ㄹ 것 같다 → **내릴 것 같다** (降るようだ)
　　　　　　　チョニョクブト　ピガ　ネリル　コッ　カッタヨ
저녁부터 비가 내릴 것 같아요. (夕方から雨が降るみたいです。)

맛있다 (美味しい)　　맛있으 + ㄹ 것 같다 → **맛있을 것 같다** (美味しいようだ)
　マシッスル　コッ　カッタヨ
맛있을 것 같아요. (美味しいみたいです。)

かんたん 10分 エクササイズ　DL 27

1 次の用言と名詞を未来連体形でつないで、文を完成させましょう。

① **먹다 + 케이크**
제가 _____가 냉장고 안에 있습니다.
私が食べる（つもりの）ケーキが冷蔵庫の中にあります。

② **보다 + 비디오**
일요일에 _____를 오늘 빌렸습니다.
日曜日に見る（つもりの）ビデオを今日借りました。

2 次の用言を推量［Ⅱ-ㄹ 것이다］に変え、文を完成させましょう。

① **갑니다**
다음주에는 부산에 출장 _____.
来週にはプサンに出張するでしょう。

② **없습니다**
어머니처럼 맛있는 김치를 만들 수 있는 사람은

_____.
母のように（みたいに）美味しいキムチは作れる人はいないでしょう。

③ **좋아합니다**
정희 씨는 한국인이라서 김치를 _____.
チョンヒさんは韓国人なのでキムチをお好きでしょう。

UNIT 30

3 下線部を時制に注意しながら、推量 [Ⅱ-ㄹ 것 같다] (〜みたいだ) に変えましょう。

① <u>너무 일이 많아서 여름휴가 때는 쉴 수 없어요</u>.
너무 일이 많아서 여름휴가 때는 _____.
あまりにも仕事が多くて夏休みは休めないようです。

② <u>내일은 비가 안 옵니다</u>.
내일은 비가 _____.
明日は雨が降らないようです。

正解・解説

1 ① 제가 먹을 케이크가 냉장고 안에 있습니다. [漢冷蔵庫]
  ※「(これから)食べる(はずの)ケーキ」なので未来連体形 [Ⅱ-ㄹ] を用います。

② 일요일에 볼 비디오를 오늘 빌렸습니다.
  ※「日曜日に見る(はずの)ビデオ」なのでやはり未来連体形 [Ⅱ-ㄹ] を用います。

2 ① 다음주에는 부산에 출장 갈 겁니다. [漢出張]
  다음주에는 부산에 출장 갈 것입니다.
  ※話者がすでに認知している予測可能な事態や行動に対しては全て [Ⅱ-ㄹ 것이다] を用います。겁니다と것입니다はどちらも使えます。

② 어머니처럼 맛있는 김치를 만들 수 있는 사람은 없을 거예요.

③ 정희 씨는 한국인이라서 김치를 좋아할 겁니다.
  ※「韓国人なのでキムチが好きだ」といった主観的ではあるが一般的に認知されていることに対しても「〜だろう／〜でしょう」を用いることができます。

3 ① 너무 일이 많아서 여름휴가 때는 쉴 수 없을 것 같아요. [漢休暇]
  ※「休めないだろう」といった話者の推測を表すため、確実性にはかける事態や行動に対しては未来連体形の応用 [Ⅱ-ㄹ 것 같다] を用います。

② 내일은 비가 안 올 것 같습니다.

SECTION 4 チェック問題

1 次の用言を（ ）の指示通りに直しましょう。

① **나쁘다**（形容詞の現在連体形［Ⅱ-ㄴ］）

매일 밤 ＿＿＿＿＿＿＿＿ 꿈을 꿔서 잘 못 잡니다.

毎晩悪い夢を見てよく眠れません。

② **배우이다**（指定詞の現在連体形［Ⅱ-ㄴ］）

한국의 ＿＿＿＿＿＿＿＿ 그가 일본어를 공부하고 있습니다.

韓国の俳優である彼が日本語を勉強しています。

③ **길다**（形容詞の過去連体形［Ⅲ-ㅆ던］）

＿＿＿＿＿＿＿＿ 머리카락을 잘랐습니다.

長かった髪を切りました。

2 次の用言を（ ）の指示通りに直しましょう。

① a：**맛없다**（存在詞の現在連体形［Ⅰ-는］）
　b：**좋아하다**（動詞の現在連体形［Ⅰ-는］）

a)＿＿＿＿＿＿＿＿ 요리를 b)＿＿＿＿＿＿＿＿ 사람은 없습니다.

まずい料理を好きな人はいません。

② a：**다니다**（動詞の過去回想連体形［Ⅰ-던］）
　b：**보다**（過去連体形の文型［Ⅱ-ㄴ 적이 있다］＋합니다体）

자주 a)＿＿＿＿＿＿＿＿ 식당에서 한국인 배우를 몇번 b)＿＿＿＿＿＿＿＿.

よく通った食堂で、韓国人俳優を何度か見たことがあります。

③a : 먹어 보다 (動詞の単純過去連体形応用 [Ⅱ-ㄴ 적이 있다])
 b : 먹어 보다 (動詞の単純過去連体形応用 [Ⅱ-ㄴ 적이 없다]
　　　　　　＋합니다体)

순대는 a)＿＿＿＿＿＿＿＿지만 순대국은
b)＿＿＿＿＿＿＿＿.
スンデは食べてみたことがありますが、スンデスープは食べてみたことがありません。

3 次の用言を（ ）の指示通りに直し、文を完成させましょう。

① 되다 (未来連体形 [Ⅱ-ㄹ])
공연은 오후 8시에 시작 ＿＿＿＿＿＿＿
예정입니다.
公演は午後8時に始まる予定です。

② 갈 수 있다 (未来連体形 [Ⅱ-ㄹ 것이다]＋해요体)
6시에는 ＿＿＿＿＿＿＿＿＿＿.
6時には行けるでしょう。

③ 힘들다 (未来連体形 [Ⅱ-ㄹ 것 같다]＋해요体)
아직 저에게는 한국어를 알아듣기 ＿＿＿＿＿＿＿＿.
まだ私には韓国語を聞き取るのは難しいみたいです。

SECTION 4 チェック問題

正解・解説

1
① 매일 밤 나쁜 꿈을 꿔서 잘 못 잡니다.
＊形容詞の現在連体形の活用は［Ⅱ-ㄴ］です。

② 한국의 배우인 그가 일본어를 공부하고 있습니다.
＊指定詞の現在連体形の活用は［Ⅱ-ㄴ］です。

③ 길었던 머리카락을 잘랐습니다.
＊形容詞の過去連体形は［Ⅰ-던］ですが、口語では過去形［Ⅲ-ㅆ던］の形が多く用いられます。

2
① a)맛없는 요리를 b)좋아하는 사람은 없습니다.
＊動詞と存在詞の現在連体形の活用は［Ⅰ-는］です。

② 자주 a)다니던 식당에서 한국인 배우를 몇번 b)본 적이 있습니다.
＊動詞の過去回想連体形の活用は［Ⅰ-던］です。「～たことがある」は［Ⅱ-ㄴ 적이 있다］。

③ 순대는 a)먹어 본 적이 있지만 순대국은 b)먹어 본 적이 없습니다.
＊「～てみたことがある」は［Ⅲ 보다］と［Ⅱ-ㄴ 적이 있다］の文型をあわせて［Ⅲ 본 적이 있다］。

3
① 공연은 오후 8시에 시작 될 예정입니다. 〔漢講演（公演）〕〔漢始作（開始）〕
＊未来連体形は［Ⅱ-ㄹ］、「～する予定」は［Ⅱ-ㄹ 예정이다］。

② 6시에는 갈 수 있을 거예요.
＊해요体は［Ⅱ-ㄹ거예요］、합니다体は［Ⅱ-ㄹ 것입니다／Ⅱ-ㄹ 겁니다］。

③ 아직 저에게는 한국어를 알아듣기 힘들 것 같아요.
＊힘들다는ㄹ語幹用言ですのでㄹの前ではパッチムㄹが脱落します。

記号　Ⅰ/Ⅱ/Ⅲ=第Ⅰ/Ⅱ/Ⅲ活用　（文）=文語　（口）=口語　（尊）=尊敬語　（省）=省略形　（縮）=縮約形　（短）=短縮形
（変）=変化形　（○＋）=○につく　（＋○）=後ろに○がつく　意味は本書内で使われている意味です。

韓国語	意味	初出	韓国語	意味	初出	韓国語	意味	初出
ㄱ			공포	恐怖	192	날씨	天気	108
가	～が	54	공포영화	ホラー映画	192	남(자)	男, 男子	190
가게	店	76	과	～と	57	남동생	弟	117
가구	家具	35	과거	過去	204	남성	男性	190
가다	行く	36	과자	菓子	154	남쪽	南側	74
가득히	いっぱいに	165	과장(님)	課長	51	낫다	治る	149
가로수	街路樹	27	광화문	光化門	166	낮	昼, 面	32
가르치다	教える	189	괜찮다	大丈夫だ	100	내	僕の	50
가방	かばん	76	교문	校門	186	내가	僕が	50
가수	歌手	27	교보문고	教保文庫（大型書店の店名）	166	내리다	(雨が)降る	99
가요	歌謡	189				내일	明日	76
가위	はさみ	173	교사	教師	55	냉면	冷麺	56
가을	秋	31	교실	教室	139	냉장고	冷蔵庫	78
가장	最も	189	구[월]	9[月]	62	너	お前	50
가져가다	持って行く	202	구두	靴	35	너무	あまりに, とても	138
가짜	偽物	29	국	汁, スープ	32	너희(들)	お前たち	50
간식	おやつ	131	국제콜택시	インターナショナルタクシー	184	넓다	広い	168
간호사	看護師	55	군대	軍隊	193	넣다	入れる	35
갈비	カルビ	35	권	冊	63	네	はい, お前, 4	40
감기[가 들다/에 걸리다]	風邪[を引く／にかかる]	136	귀국[하다]	帰国[する]	124	네가	お前が	50
			귀엽다	可愛い	168	네요	(Ⅰ+)ですね	208
감상[문]	感想[文]	41	귀하	貴下, (手紙・メールで使う)～様	51	넷	4	62
감자	ジャガイモ	35				년	年	62
감히	敢えて	35	귤	みかん	60	노랗다	黄色い	176
갔다오다	行ってくる	177	그	彼, その	50	노래	歌	201
강릉	江陵	65	그것	それ	78	노트북	ノートパソコン	83
강아지	子犬	63	그녀[들]	彼女[ら]	50	놀다	遊ぶ	145
같다	～みたいだ	211	그들	彼ら	50	높다	高い	43
같이	一緒に	38	그럭저럭이에요	まあまあです	180	놓다	置く	176
개	～個	60	그렇게	そんなに	165	누가	誰が	54
거	(省)もの	36	그렇다	そのようだ	149	누구	誰	81
거기	そこ	74	그룹	グループ	150	누나	お姉さん, ～姉さん	26
거미	蜘蛛	27	그릇	膳	63	누르다	押さえる, 黄色い	172
건물	建物	204	그림책	絵本	146	눈	目, 雪	31
걷다	歩く	160	그립다	懐かしい	207	눈물[이 나다]	涙[が出る]	157
걸리다	(時間が)かかる	65	금방	すぐ	211	눈이 부시다	目がまぶしい	177
것	もの	80	금연[석]	禁煙[席]	105	는	～は	9
건강	健康	160	금요일	金曜日	69	늦다	遅れる, 遅い	141
게으르다	怠ける	173	긋다	引く	164	니	(Ⅱ+)だから, ので	152
겨울	冬	105	기다랗다	長々しい	176	님	～様, (役職名につく)	51
결혼	結婚	35	기다리다	待つ	93	ㄷ		
경주	慶州	57	기르다	育てる	172	다	すっかり	162
경찰서	警察署	77	기쁘다	嬉しい	156	다니다	通う	109
계시다	(尊)いる	121	기차	汽車	28	다르다	異なる, 違う	170
고 있다	(Ⅰ+)～している	145	기차표	切符	28	다리	足, 橋	27
고다	煮込む	93	긷다	汲む	160	다섯	5	62
고등학생	高校生	55	길	道	169	다시	再びハイフン, ダッシュ	27
고르다	選ぶ	172	길다	長い	192	다음주	来週	213
고맙다	ありがたい	41	김	海苔, (苗字の)金	15	닦다	磨く	33
고양이	猫	77	김밥	海苔巻き	35	단풍[이 들다]	紅葉[する]	205
고장[나다]	故障[する]	138	김치	キムチ	47	닫다	閉める	92
고추	とうがらし	28	ㄴ			달다	甘い	102
고프다	空腹だ	149	나	俺, あたし, 僕	11	닭	鶏	15
곧	すぐ	32	나(가)다	出る	42	닭갈비	タッカルビ	94
곰	熊	41	나라	国	26	닭한마리	タッカンマリ	135
곱다	細かい, 心が美しい	168	나무[잎]	木[の葉]	26	담그다	漬ける	156
공	空, 0	62	나비	蝶	35	담배	タバコ	105
공무원	公務員	55	나쁘다	悪い	108	담요	毛布	37
공부[하다]	勉強[する]	96	나이	年, 歳	26	당신(들)	あなた[たち]	50
공연	公演	216	날[들]	日[々]	184	당첨	当選	201
공원	公園	77	날마다	毎日	54	대	～台	63

217

韓国語	意味	初出ヴ	韓国語	意味	初出ヴ	韓国語	意味	初出ヴ
대단히	まことに,非常に	53	말	馬,言葉	31	밖	(〜の)外	57
대답하다	答える	161	말씀하시다	おっしゃる	121	반	半	66
대통령	大統領	207	말하다	言う	121	반갑다	嬉しい	168
대학교	大学	8	맛	味	166	반말	ため口	11
대학생	大学生	48	맛없다	まずい	216	반찬	おかず	94
대형택시	大型タクシー	184	맛있다	美味しい	43	받다	もらう,受ける,(電話を)取る	36
댁	(尊)お宅	10	맞다	合う	92			
더러워지다	汚くなる	207	매일	毎日	123	받침	パッチム	15
덥다	暑い	105	매일 밤	毎晩	216	발달	発達	36
도	〜も	105	매일 아침	毎朝	123	발음	発音	170
도깨비	お化け	210	맥주	ビール	65	밝다	明るい	195
도서관	図書館	8	맵다	辛い	99	밤	夜	216
도착[하다]	到着[する]	124	머리	頭,髪	26	밥	ご飯	32
도쿄	東京	105	머리카락	髪の毛一本一本	192	방	部屋	31
도토리	どんぐり	28	머리털	髪の毛	192	밭	畑	32
독서[하다]	読書[する]	184	먹다	食べる	41	배[가 고프다]	腹(が空く)	154
돈	お金	109	먼저	まず,最初に	145	배우	俳優	189
돌아가(시)다	お亡くなりになる	121	멋있다	格好いい,素敵だ	182	배우다	学ぶ	93
돕다	手伝う	168	며칠	何日	68	백	百,100	63
동갑	同い年	71	면허증	免許証	117	백화점	デパート,百貨店	53
동그랗다	丸い	177	명	名	63	번(째)	回[目],番[目]	63
동대문[시장]	東大門[市場]	135	몇	(何個の)何,何〜	32	번호	番号	63
동료	同僚	81	모르다	知らない	123	벌다	稼ぐ	152
동생	弟,妹	117	모범택시	模範タクシー	184	벗다	脱ぐ	164
되다	なる,できる	93	모양	模様	31	병	〜本	63
두	2	60	모어	母語	26	병원	病院	136
두다	置く	141	모으다	集める	156	보너스	ボーナス	106
둘	2	62	모이	餌	129	보다	見る,〜より,(Ⅲ+)てみる	77
뒤	(〜の)後ろ	57	모임	集まり	31			
드라이브	ドライブ	108	모자	帽子	35	보리	麦	27
드리다	差し上げる	121	목요일	木曜日	69	보통	普通	8
드시다	召し上がる	120	목욕탕	銭湯	124	복권	宝くじ	201
든지	〜でも	114	목적지	目的地	172	봄	春	31
듣다	聴く,聞く	99	몫	分け前	15	뵙다	お目にかかる	40
들	〜たち(複数形を作る)	50	몸	体	111	부르다	呼ぶ	172
들다	持つ,(美語)食べる	121	몸이 아프다	具合が悪い	100	부모	父母	27
들어가다	入る	139	못	釘	32	부산	釜山	57
			무섭다	怖い	192	부엌	台所	32
ㄹ			무슨	何,何の〜	37	부장(님)	部長	51
라디오	ラジオ	161	무슨 요일	何曜日	37	부탁하다	頼む,依頼する	180
라면	ラーメン,〜ならば	31	무엇	何,何の	78	부터	(時間)から	8
라서	(+名)なので	138	무엇을	何を	94	북쪽	北側	74
랑	〜と	57	문제	問題	38	분	〜分,(尊)お方	62
러 가다	(Ⅱ+)しに行く	202	묻다	尋ねる,埋める	158	붇다	ふやける	160
러 오다	(Ⅱ+)しに来る	203	묻히다	埋まる	38	불고기	プルコギ	87
러닝	ランニング	31	물	水	47	불국사	仏国寺	205
로	(方向)へ,(手段)で	57	물가	物価	105	불다	(風が)吹く	105
를	〜を	57	물김치	水キムチ	47	붓다	注ぐ,腫れる	164
리	わけ,はず	210	물냉면	水冷麺	111	붙다	受かる	108
ㅁ			뭐	(省)무엇	81	비[가 내리다/오다]	雨[が降る]	27
마녀	魔女	26	뭐든지	何でも	158			
마늘	にんにく	31	뭘	(縮)무엇을	94	비누	石鹸	27
마다	ごと,毎〜	129	미국	アメリカ	99	비디오	ビデオ	213
마리	〜匹	63	미안하다	すまない	112	비밀번호	パスワード	196
마시다	飲む	42	믿다	信じる	93	비비다	混ぜる	72
만	万,10,000	60	밑	(〜の)下	32	비빔냉면	ビビン冷麺	72
만나다	会う	114	ㅂ			비빔밥	ビビンバ,混ぜご飯	72
만들다	作る	152	바다	海	177	비서	秘書	150
만은	だけは	180	바람	風	105	비슷하다	似る	170
만일	万一	34	바람이 불다	風が吹く	105	비싸다	(値段が)高い	60
만화	漫画	99	바쁘다	忙しい	45	비행기[를 타다]	飛行機[に乗る]	102
많다	多い	33	바지	ズボン	87			
많이	たくさん,随分	78						

韓国語	意味	初出	韓国語	意味	初出	韓国語	意味	初出
빌리다	借りる	213	숟가락	スプーン	32	압박	圧迫	36
빚	借り	32	술	酒	117	앞	(〜の)前, 前	32
빛	光	32	숲	森	32	앞으로	これから, 今後	40
ㅅ			쉬다	休む	111	앞일	将来のこと	37
사[월]	4[月]	62	쉽다	簡単だ, 易しい	169	애인	恋人	180
사다	買う	106	스마트폰	スマートフォン	138	야망	野望	31
사라지다	なくなる, 消える	204	스무	(+助)20	62	야식	夜食	131
사람	人	49	스물	20	62	야채	野菜	111
사업가	事業家	195	슬프다	悲しい	156	약[사]	薬[剤師]	32
사우나	サウナ, 買ってくる	124	습관	習慣	189	약속	約束	141
사장(님)	社長	51	시	時, 〜時	8	약을 먹다	薬を飲む	165
사전	辞典	72	시간	時間	63	약하다	弱い	36
사진	写真	114	시계	時計	72	양	羊	31
사투리	方言	28	시끄럽다	うるさい	169	양복	スーツ, 背広	135
삯	賃金	33	시월	10月	66	얘	この子	23
살	〜歳	62	시작되다	始まる	216	얘기	(縮)이야기	23
살다	暮らす, 住む, 生きる	99	시장	市場	135	어느	どの	74
삶	人生	33	시험[문제]	試験[問題]	108	어느것	どれ	80
삼[월]	3[月]	62	식당	食堂	100	어느정도	いくらか, ある程度	180
삼계탕	参鶏湯	64	식량	食料	37	어느쪽	どちら側	74
삼성역	三成駅	87	식사	食事	121	어디[에]	どこ[に]	72
상냥하다	優しい, にこやかだ	190	식욕	食欲	100	어떻다	どうだ, どのようだ	174
새	鳥	129	신라	新羅	38	어렵다	難しい	106
새로	新しく	162	신문	新聞	117	어렸을 때	子供の頃, 幼い頃	198
생	生, 〜生まれ	68	신청	申請, 申し込み	141	어리다	幼い	117
생신	(尊)お誕生日	121	신청하다	申し込む	141	어머니/님	お母さん/様	26
생일	誕生日	66	싣다	載せる	160	어제	昨日	124
서	(短)에서, 〜で	112	실수	へま	173	어학당	語学堂, 語学学校	146
서 죽겠다	(Ⅲ+)〜て死にそうだ	154	싫어하다	嫌いだ	111	억	億	164
서다	止まる	93	심리	心理	37	언니	〜姉さん	51
서두르다	急ぐ	172	십	十, 10	62	언제[든지]	いつ[でも]	66
서랍	引き出し	201	십시오	(Ⅱ+)〜してください	171	얻다	もらう	160
서로	お互い	27	십육	16	37	얼굴	顔	177
서류	書類	118	십이월	12月	68	얼마	いくら	60
서울[타워]	ソウル[タワー]	31	십일월	11月	68	얼마나	いくらくらい, どれほど	164
서쪽	西側	74	싱겁다	(味が)薄い	166	엄격하다	とても厳しい, 厳格だ	195
서투르다	下手だ	170	ㅇ			없다	ない, いない	33
석	〜席	105	아는 사람	知人, 知り合い	186	없어지다	なくなる	207
선두	先頭	35	아니다	〜ではない, 違う	43	엉덩이	尻	177
선생(님)	先生	65	아니요	いいえ	48	에	(事物)に	65
설날	旧正月	120	아래	(階層などの)下	57	에게	(人物)に	57
설명서	説明書	146	아름답다	美しい	168	에서	〜から, 〜で	65
성격	性格	195	아무도	誰も	105	여(자)	女, 女子	190
성함	(尊)お名前	121	아버지	お父さん	99	여권	旅券	35
세	(+助)3, (変)셋	60	아이	子供	9	여기	ここ	72
세요	(尊)해요, (Ⅱ+)てください	127	아이스크림	アイスクリーム	207	여덟	8	62
세일	セール	207	아저씨	おじさん	29	여동생	妹	65
셋	3	62	아주	とても	172	여름	夏	105
소	牛	27	아줌마	おばさん	124	여배우	女優	202
소나무	松	27	아직	まだ	170	여섯	6	62
소리	音	27	아침	朝, 朝ご飯	69	여성	女性	190
소문	噂	160	아침마다	毎朝	129	여우	女優, きつね	21
소설	小説	199	아프다	痛い	156	여유	余裕	21
소주	焼酎	87	아홉	9	62	여행[가다]	旅行[に行く]	108
속	(〜の)中	57	악수	握手	32	역	駅	71
속잎	若葉	37	안	(〜の)中, 中	57	연락[하다]	連絡[する]	99
솥	釜	32	안마	マッサージ	31	연세	(尊)御歳	121
쇼핑[하다]	ショッピング[する]	208	앉다	座る	33	연세대학교	延世大学	207
수도	首都	205	알다	知る, 分かる	145	열	10, 熱	62
수요일	水曜日	66	알리다	知らせる	196	열다	開く	152
숙제[를 하다]	宿題[をする]	115	알아듣다	聞き取る	180	열심히	熱心に, 一生懸命に	109
순대[국]	スンデ[スープ]	115	앓다	患う	33			

219

韓国語	意味	初出
영	0	62
영국	イギリス	133
영어	英語	31
영화	映画	94
옆	(〜の)横, 横	57
예	例, はい	23
예쁘다	美しい, きれい	43
예약[하다]	予約[する]	201
예의	礼儀	23
예전	昔	201
예정	予定	208
옛날	昔	153
오[월]	5[月]	62
오늘	今日	66
오늘 저녁	今晩	99
오다	来る, (雨が)降る	10
오래간만	久しぶり	41
오르다	登る	172
오른쪽	(〜の)右, 右側	57
오빠	お兄さん, 〜兄さん	196
오시다	いらっしゃる	10
오이	きゅうり	21
오전	午前	8
오후	午後	8
온돌	オンドル, 床暖房	111
올해	今年	207
옷	服	32
와	(文)〜と	57
와이파이	WiFi	196
왜	なぜ	23
외곬	一途	33
외국	外国	49
왼쪽	(〜の)左, 左側	57
요리	料理	103
요리하다	料理する	103
요일	曜日	37
요즘	最近	100
용돈	お小遣い	36
우리(들)	俺たち, あたしたち, 僕たち	50
우연히	偶然に	169
우유	牛乳	21
우표	切手	47
운전[기사/하다]	運転[手/する]	55
울다	泣く	152
웃다	笑う	164
원	ウォン(お金の単位)	60
원숭이	猿	177
월	月	62
월요일	月曜日	69
위	(〜の)上	23
유월	6月	68
유학[가다]	留学[する]	99
육	6	62
으로	(方向)へ, (手段)で	57
은	〜は	8
은퇴[하다]	引退[する]	202
은행원	銀行員	54
을	〜を	53
읊다	詠む	33
음력	陰暦	37
음식	食べ物	208
음악	音楽	34
의	〜の	8
의논[하다]	相談[する]	141
의사	意思, 医師, 義士	23
의외	意外	23
의의	意義	23
의자	椅子	141
이	〜が, この, 2, 歯, 李	21
이거	(省)이것	64
이것	これ	78
이게	(縮)이것이	81
이다	(指)〜だ	9
이라도	〜でも	195
이라면	〜ならば	108
이라서	(名+)なので	138
이랑	(口)〜と	57
이렇다	こうだ, このようだ	36
이르다	至る	149
이름	名前	83
이마	おでこ	26
이번	今回, 今度	139
이번 주	今週	139
이야기[를 하다]	話[をする]	135
이외	以外	23
이용[하다]	利用[する]	8
이월	2月	68
이유	理由	21
이제	もう, 今	162
인기[가 있다]	人気[がある]	189
인분	〜人分	62
인사[하다]	挨拶[する]	49
일	1, 日, 仕事, 出来事	62
일곱	7	62
일년	一年	38
일반택시	一般タクシー	184
일본[사람]	日本[人]	49
일본말	日本語	170
일본어	日本語	146
일어나다	起きる	129
일요일	日曜日	69
일월	1月	68
일컫다	称する	160
읽다	読む	33
읽어주다	読んであげる	143
입	口	32
입다	着る	103
입력	入力	37
입맛	食欲, 味	37
잇다	繋ぐ	164
있다	ある, いる	33
잊다	忘れる	141
잎	葉	32
자기소개[하다]	自己紹介[する]	49
자네[들]	君[たち]	50
자다	寝る	120
자동차	自動車	65
자르다	切る	173
자리	席	27
자유	自由	27
자주	頻繁に	189
작년	去年	36
작다	小さい	9
잔	〜杯, グラス	60
잘	よく	40
잘 하다	よくできる, 上手にする	97
잠그다	鍵をかける	156
잡다	捕まえる	173
잡수시다	召し上がる	120
장	〜枚	63
장마[철]	梅雨[の時期]	31
장점	長点	36
재미있다	面白い	43
재빠르다	すばしっこい	173
저	私, あの	9
저것	あれ	80
저기	あそこ	74
저기요	すみません	87
저녁	夕方, 夜, 晩御飯	69
저렇다	あのようだ	176
저지르다	しでかす	173
저희(들)	私ども	55
적	仕事, 出来事, こと	196
전	前(時間)	201
전근	転勤	158
전부	全部	198
전에	前に	146
전화[하다]	電話[する]	35
전화번호	電話番号	63
점심	お昼ご飯	131
접시	皿	63
젓다	かき回す	164
정말[로]	本当[に]	31
정장	スーツ	129
제	(縮)저의, (変)저	36
제 거	私のもの	36
제가	私が	50
제주도	済州島	118
조금	ちょっと, 少し	106
조금 전	少し前	202
조깅	ジョギング	123
조카	甥, 姪	28
좀 더	もうちょっと	87
좁다	狭い	168
종로	(地)鍾路	37
종이	紙	173
좋다	良い, (口)好き	32
좋아하다	好き	47
죄송하지만	すみませんが	115
주	週	139
주다	あげる, くれる	93
주무시다	お休みになる	120
주부	主婦	55
주세요	(Ⅲ+／を)ください	64
주십시오	(Ⅲ+)ください	171
주의하다	注意する	38
죽겠다	(〜で)死にそうだ	141
죽다	死ぬ	121
준비[하다]	準備[する]	9
중국[사람]	中国[人]	87
중학생	中学生	55
즐겁다	楽しい, 心地よい	174
지 마세요	(Ⅰ+)ないでください	152
지갑	財布	77

韓国語	意味	初出
지금	今	66
지금도	今も, 今でも	145
지금부터	今から, これから	145
지난 주	先週	205
지내다	過ごす	184
지만	～だが, ～だけど	216
지하[철]	地下[鉄]	28
직장인	社会人	59
진지	(尊)お食事	121
진찰[을 받다]	診察[を受ける]	136
집	家	10
집합	集合	36
짓다	作る, 建てる, 炊く	162
ㅊ		
차	車, 茶	28
찾다	訪ねる, 探す	53
책	本	32
책상	机	72
처럼	みたいに	213
처음	はじめて	40
천	千, 1,000	60
철	(～の)時期	129
첫 번째	1回目	63
체포[하다]	逮捕[する]	207
초	秒	62
초등학생	小学生	55
초밥	寿司	196
총무과	総務課	36
출근[하다]	出勤[する]	111
출발[하다]	出発[する]	124
출장	出張	36
춥다	寒い	105
취직[하다]	就職[する]	207
치르다	支払う	156
치마	スカート	28
치약	歯磨き粉	174
친구	友達	57
칠[월]	7[月]	62
칫솔	歯ブラシ	174
ㅋ		
카레라이스	カレーライス	72
카페	カフェ	114
커피	コーヒー	60
컴퓨터	コンピュータ	80
케이크	ケーキ	184
케이티엑스	KTX(韓国の高速鉄道)	172
켜다	つける	161
코	鼻	28
코끼리	象	29
코코아	ココア	28
코트	コート	28
크다	大きい	156
키	背	28
ㅌ		
타다	乗る	102
텔레비전	テレビ	195
토끼	うさぎ	29
토마토	トマト	28
토요일	土曜日	69
통쪽	東側	74
팀장	チーム長	51
ㅍ		
파	長ネギ	28
파랗다	青い	176
판문점	板門店	114
팔[월]	8[月]	62
팔다	売る	148
팥빙수	かき氷	72
펜	ペン	50
편의점	コンビニエンスストア	75
편지	手紙	157
포도주	ワイン	189
푸르다	青い	172
풀장	プール	201
피부	皮膚	177
피서	避暑	28
피우다	吸う	105
ㅎ		
하고	(口)～と, ～して	57
하나	1	62
하늘	空	172
하다	する, ～する	8
하루종일	一日中	195
하마	かば	28
하숙집	下宿	201
하시다	なさる	93
하얗다	白い	176
학교	学校	36
학생	学生	54
한	1	62
한 시	1時	57
한가하다	暇だ	141
한강	漢江	35
한국[사람/인]	韓国[人]	8
한국말	韓国語	97
한국어	韓国語	108
한번	一度, 1回	158
한복	韓服	120
한여름	真夏	37
한일	した事	37
한자	漢字	114
한증막	韓国風サウナ	124
한테	(人物)に	57
한테서	(人物)から	57
할머니	おばあさん	123
핥다	なめる	33
항상	いつも	123
해결	解決	146
해돋이	日の出	38
핸드폰	携帯電話	65
했다	～した	33
행복[하다]	幸福[だ], 幸せ[だ]	204
헤어지다	別れる	180
현대	現代	207
협의	打ち合わせ, 協議	146
형	お兄さん, ～兄さん	51
호선	号線	62
호수	湖	28
호텔	ホテル	201
혼나다	怒られる	173
화요일	火曜日	69
확률	確率	37
회	刺身	117
회사[원]	会社[員]	51
회의	会議, 打ち合わせ	87
회의실	会議室	87
회전	回転	196
훤칠하다	すらりとした	190
휴가	休暇	213
흐르다	流れる	172
희다	白い	38
히웅	ㅎの呼称	32
힘들다	難しい, つらい	216
ㄲ		
까다	むく	29
까맣다	黒い	176
까지	～まで	8
까치	カササギ	29
깎다	刈る	33
깜박	うっかり	141
깨끗하다	きれいだ	207
깨닫다	悟る	160
께	(尊)～に	121
께서	(尊)～が	121
께서는	(尊)～は	121
께서도	(尊)～も	121
꼬마	ちびっこ	29
꼭	必ず, きっと	99
꽃[잎 / 만]	花[びら／だけ]	36
꾸다	(夢を)見る	195
꿈[을 꾸다]	夢[を見る]	195
끄다	消す	156
끝나다	終わる	36
끝내다	終わらせる, 終える	96
ㄸ		
따뜻하다	暖かい, 温かい	111
따로	他に	29
따르다	従う	29
때[는]	ころ[に], とき[に]	124
때[밀이]	垢[すり]	213
떠나다	出発する	130
떡볶이	トッポッギ	99
뜨다	浮かぶ	156
띠	ベルト, 帯	29
ㅃ		
빠르다	速い, 早い	29
빨갛다	赤い	176
빵[집]	パン[屋]	198
빼앗다	奪う	164
뼈	骨	29
뽀뽀	キス	29
뿌리	根	29
ㅉ		
짜다	しょっぱい	29
쪽	～側	74
찌개	チゲ	166
찍다	撮る	114
찜질방	スーパー銭湯	124
ㅆ		
싸다	(値段が)安い	29
쏟다	こぼす	160
쓰다	書く, 使う, にがい	105
쓸다	掃く	152
씨	～さん	40
씹다	噛む	168
씻다	洗う	164

221

文法公式のまとめ

文法編で紹介した韓国語文法の公式を一覧にしました。公式をマスターして表現の幅を広げ、より深くコミュニケーションをとれるようになりましょう。

SECTION 1

公式 1	【基礎の基礎】4大用言と、そのしくみ	42
公式 2	会話で使う「〜です/〜ます」調の作り方（합니다体）	44
公式 3	人称代名詞の種類・使い方と呼称	50
公式 4	助詞の使い方と一覧表	56
公式 5	数詞（漢数字と固有数字）と助数詞	62
公式 6	漢数字と固有数字の使い分け	63
公式 7	年月日と曜日、時間	68
公式 8	場所・空間・方角の表現と、助動詞「〜に」、存在詞	74
公式 9	「これ／それ」などを表す代名詞と疑問詞	80

SECTION 2

公式10	3つの活用の作り方	92
公式11	希望を表す［第Ⅰ活用-고 싶다］	96
公式12	意志・推量を表す未来形［第Ⅰ活用-겠-］	96
公式13	文をつなぐ［第Ⅰ活用-고］	102
公式14	2つの否定形［안〈用言〉］［第Ⅰ活用-지 않다］	103
公式15	仮定「〜れば／〜たら」を表す［第Ⅱ活用-면］	108
公式16	逆接「〜だけど」を表す［第Ⅰ活用-지만］	109
公式17	可能形／不可能形［第Ⅱ活用-ㄹ 수 있다/없다］	114
公式18	不可能表現［못〈用言〉］［第Ⅰ活用-지 못하다］	115
公式19	「〜なさる」を表す尊敬形［第Ⅱ活用-시-］	120
公式20	用言・助詞・体言の特別な尊敬形と謙譲語	120
公式21	普段の会話でよく使う語尾해요体［第Ⅲ活用-요］	126
公式22	特殊な해요体	127

公式23	過去形［第Ⅲ活用-ㅆ］	132
公式24	理由・先行動作を表す［第Ⅲ活用-서］	138
公式25	丁寧な命令形［第Ⅱ活用-십시오/-세요］	139

SECTION 3

公式26	ㄹ語幹は第Ⅱ活用にご用心	152
公式27	ー語幹は第Ⅲ活用にご用心	156
公式28	ㄷ変格用言は第Ⅱ／Ⅲ活用にご用心	160
公式29	ㅅ変格活用は第Ⅱ／Ⅲ活用にご用心	164
公式30	ㅂ変格用言は第Ⅱ／Ⅲ活用にご用心	168
公式31	르変格用言は第Ⅲ活用にご用心	172
公式32	러変格用言は3語だけ！	172
公式33	ㅎ変格活用は第Ⅱ／Ⅲにご用心	176

SECTION 4

公式34	動詞と存在詞の現在連体形［第Ⅰ活用-는］	186
公式35	形容詞の現在連体形［第Ⅱ活用-ㄴ］	192
公式36	指定詞の現在連体形［A-인 B／A-이/가 아닌 B］	193
公式37	動詞の過去連体形 ［第Ⅱ活用-ㄴ／第Ⅰ活用-던／第Ⅲ活用-ㅆ던］	198
公式38	存在詞の過去連体形［第Ⅰ活用-던／第Ⅲ活用-ㅆ던］	204
公式39	形容詞と指定詞の過去連体形［第Ⅰ活用-던／第Ⅲ活用-ㅆ던］	205
公式40	未来連体形［第Ⅱ活用-ㄹ］	210
公式41	主観的な推量を表す ［第Ⅱ活用-ㄹ 것이다／第Ⅱ活用-ㄹ 거예요］	211
公式42	客観的な推量を表す［第Ⅱ活用-ㄹ 것 같다］	211

■著者紹介

鶴見 ユミ（つるみ　ゆみ）

神奈川県出身。韓国ソウルの延世大学大学院・国文科にて近代文学を専攻。韓国語講師、翻訳、通訳に従事。有限会社アイワード取締役。
まったくの初学者でも、ゼロからはじめて週1回の受講で1年以内に韓国語をマスターさせるという、文法に重点を置いた講義に定評がある。
著書に『新 ゼロからスタート韓国語 会話編』『ゼロからスタート 韓単語BASIC1400』『韓国語単語スピードマスター 中級2000』『夢をかなえる韓国語勉強法』『魔法の韓国語会話』(以上、Jリサーチ出版)など多数、訳書に『僕は「五体不満足」のお医者さん』(アスペクト)がある。
韓国語教室アイワード　https://www.aiword.net/

カバーデザイン	滝デザイン事務所
本文デザイン	新井田晃彦（共同制作社）、早坂美香（SHURIKEN Graphic）
DTP	新井田晃彦（共同制作社）、洪 永愛（Studio H2）
イラスト	MARI MARI MARCH
CD 録音・編集	一般財団法人 英語教育協議会（ELEC）
CD 制作	高速録音 株式会社

本書へのご意見・ご感想は下記URLまでお寄せください。
https://www.jresearch.co.jp/contact/

新ゼロからスタート 韓国語 文法編

平成29年（2017年）5月10日　初版第1刷発行
令和2年（2020年）9月10日　　第3刷発行

著者　鶴見ユミ
発行者　福田富与
発行所　有限会社 Jリサーチ出版
　　　　〒166-0002　東京都杉並区高円寺北2-29-14-705
　　　　電話 03(6808)8801(代)　FAX 03(5364)5310
　　　　編集部 03(6808)8806
　　　　https://www.jresearch.co.jp
　　　　twitter 公式アカウント @Jresearch_
　　　　https://twitter.com/Jresearch_
印刷所　株式会社 シナノ パブリッシング プレス

ISBN978-4-86392-345-4　禁無断転載。なお、乱丁・落丁はお取り替えいたします。
©2017 Yumi Tsurumi, All rights reserved, Printed in Japan.